経験不要の「ロジカル営業」

必ず成果が
上がる
最強の仕組み

吉田守

日経BP

■はじめに

本書は、IT企業で営業を担当している方やこれから営業職に就くことが見込まれる方に向けて、ユーザーの成果を実現するための営業がどういったものかを説明し、経験や資質に頼ることなくロジカルに考え、行動する方法を伝えることを目的とした解説書です。この営業の方法論とそれに基づいた実践で、どなたでも成果を上げることができます。営業は経験と資質に頼るものではなく、ロジカルな取り組みで成果を上げる業務だからです。

DX（デジタルトランスフォーメーション）というキーワードが注目を集めています。なぜ、DXが注目されるのか。それは、様々なビジネスにおいてデジタル化（データ化）が進み、技術の進歩により今までは解決できなかった課題をITで解決できるようになったからです。解決できる範囲が広がったことでユーザーに大きな変化を起こし、事業あるいは企業の存続・発展に直接的な影響を与えられるようになりました。その流れの中で、SIer（システムインテグレーター）などのIT企業の役割がより重要になっています。しかし、その変化に対応できていない企業が多いのです。

本書の存在価値はここにあります。現状のIT企業では機能などによる価値の提案が中心になっています。ですがそれではユーザーの変化に対応できません。本書では、ユーザーでの成果向上を目的とする提案型営業を「ロジカル営業」と定義し、その実践方法を具体的に説明します。筆者はこの方法を「ロジカルセールス」と20年近く呼んでいるので、本書でも主にこちらを使います。

ロジカルセールスは言い換えるなら、全ての営業担当者が属人的な経験や資質などに頼らず、自律的・能動的に、ロジカルに考え動くことができるようになり、1人で担当するときもチームを組むときでも、成果をきちんと上げる営業メソッドです。

筆者は、情報システム会社の在籍中にSE（システムエンジニア）から営業に転向し、先輩も同僚もいない中でSI事業を、その後パッケージソフトやツールなどの事業をゼロから企画し立ち上げました。悩み、失敗しながらも、個人の営業活動だけでなく、営業未経験者を含む営業チームを編成し成果を上げ営業のノウハウを蓄積してきました。それをまとめたものがロジカルセールスです。ロジカルに考え、成果につながる行動を取ることには、SE出身であるというキャリアが生きました。

ロジカルセールスを理解し、身に付けてもらうために、本書では「営業とは何か」という営業の目的や役割の説明から、受注を呼び込む営業ストーリーのつくり方、営業テクニックの使い方まで、ゼロから成果を上げるための方法を網羅しています。「なぜこのタイミングでこうする必要があるのか」という理由も解説しているので、納得して行動し、状況に応じて自らのやり方を変化させることができます。営業のアクション一つひとつの理由と意義を知り、ユーザーの成果をしっかりと意識して活動すれば、営業は怖くありません。

具体的な本書の構成は以下のようになります。

第1章　IT業界の現状と変わる営業
第2章　まず営業とは何かを知ろう
第3章　営業の2大要素を因数分解

第4章　営業ストーリーと営業テクニック
第5章　仮想商談でロジカル営業を学ぶ
第6章　値引きと予算への対応
第7章　組織で勝つチーム営業

初めから順に読んでいただく必要はありません。どこから読み進めても、すぐ実践できる内容になっています。

現在IT企業で営業を担当しているものの成果が上がらず困っている方、あるいはより大きな成果を上げようと模索している方はもちろん、営業職に初めて就く方、営業マネジャーになった方、営業未経験の開発技術者などから営業に転向したが何をしたらいいか分からないという方まで、幅広く参考になると思います。ロジカル営業、ロジカルセールスが営業担当者としての成果向上に役立てば幸いです。

なお、本書は「日経コンピュータ」に掲載した連載「突然『営業になれ』と言われても怖くない！」「突然『チームで営業せよ』と言われても怖くない！」を、大幅に加筆・再構成したものです。

吉田 守

Contents

Contents

Contents

第1章

IT業界の現状と変わる営業

ユーザーがITに明確な成果を求めるようになっています。「工数×単価」という考え方でIT企業が営業できた時代は終わりを告げました。確保済みの「予算」を受注できればいいというこれまでのアプローチでは生き残れません。新しい事業環境に対応すべく、変化に立ち向かうユーザーと共に、営業のあり方を変える必要があります。

営業もユーザーも変わる「工数×単価」の終わり

IT業界の現状と課題

IT業界では、ユーザーとの取引において、従来型のシステム開発の対価を「工数×単価」で算出するのが一般的です。特に基幹システムの開発などは、ユーザーがRFP（Request for Proposal、提案依頼書）を提示し、要求されている機能の開発に必要な金額を工数×単価で算出します。小規模な開発やツールをベースにした開発であっても、同様のケースは多々あります。受注するためには、実装する機能と品質を担保しつつ安い単価のスタッフを組み合わせ、かつ生産性を上げることで工数をできる限り削減する、つまり低価格での提案と見積もりが重要となります。

パッケージソフトウエア（以下パッケージ）やSaaS（ソフトウエア・アズ・ア・サービス）を利用する場合には工数×単価ではなく、必要な機能を満たしているかどうかを○×表を作るなどして判断するケースがほとんどです。そして必要機能を備えるパッケージやSaaSから、最も安価なものをユーザーが採用するわけです。どちらの場合も、営業担当者は機能と価格のバランスを取ることを優先し、ユーザーの成果をあまり考えなくても仕事ができました。

ITに明確な成果を求め始めたユーザー

しかし、様々な情報がデジタル化され、クラウドやAI（人工知能）などの新技術が急速に普及する中で、ユーザーはITに明確な成果を求めるようになっています。業務の課題を解決し変革を促進する。そして収益の向上や企業の成長をもたらすという本来のIT化の目的、言い換えればDXを、ユーザーが強く意識し始めているのです。

過去は違いました。ハードウエアのリプレース（入れ替え）時期に予算を計上してほとんど同じシステムを再構築する、あるいは同業他社が使っているからといって同じシステムを必要性をきちんと検討しないまま導入する、といったことが珍しくありませんでした。ユーザーの情報システム部門では、システム構築や導入あるいは運用という自らの業務を維持することが最優先に見えたこともありました。

SIerなどのIT企業で、システム導入によるユーザーの成果向上ではなく、情報システム部門の意に沿う提案を行い、計上されたシステム予算のうちどれだけ多くを自社で獲得できるかが重要視されていたことも事実です。しかし、ユーザーが変化する中で、成果という概念なしで提案してきたIT企業の多くの営業担当者は、ユーザーに何をどう提案すればいいのか分からず悩んでいます。

提供側だけではありません。ユーザーも困っているのです。自社のリソースやスキルだけでは具体的な成果を実現できず、IT企業の協力を得たいものの適切な提案が少ないため、変革に向けた取り組みを進められない多くのユーザーがいます。機能ベースの提案を受け工数×単価で判断することがほとんどだったので、成果につながる内容を精査し、判断することが難しいのです。

営業に求められる３つの変化

IT企業、さらにはユーザーの双方が課題を抱えながら変化しようとしている最中です。いずれにせよIT企業は今までと同じ営業方法では選ばれなくなる、つまり受注できなくなるのは間違いありません。

では、どのような変化が求められているのでしょうか。この状況の中で、営業は何をすればいいのでしょうか。

結論からいえば、次の3つの変化が必要です。

> - **ユーザーの成果向上にフォーカスした提案を行う**
> - **待ちではなく攻めの営業を行う**
> - **営業プロセスを把握し、柔軟に変化させながら対応する**

それぞれ具体的に見ていきましょう。

ユーザーの成果向上にフォーカスした提案を行う

営業の中で最も重要な変化の要素です。

今までは、多くの場合、機能を中心とした価値をユーザーに提供することがIT企業の役割でした。その対価として開発費用、あるいはパッケージやSaaSの利用料を受け取るのです。営業担当者はユーザーに必要な機能を確認し、その機能を中心に提案することがほとんどでした。

しかし、ユーザーがデジタルによる事業変革を志向し、明確な成果を求めるようになりました。IT企業の営業担当者も変化に合わせて成果にフォーカスした提案を行う必要があります。

ここで大きな問題があります。そもそも「成果とは何か」が分からず、ほとんどが悩んでいるということです。適切な提案のためには、成果とは何かを営業担当者が認識するところから始めなくてはなりません。

ただユーザーにとっての成果が何かというのは簡単に理解できるものではありません。本書では、いきなり成果の説明から入るのではなく、営業の目的や役割を、1つ上の視座である「事業とは何か」から説明し、その中で成果とは何かをあぶり出していきます。それにより成果を正しく理解し、営業で重要な成果向上のための提案ができるようにします。

詳しくは第2章の「まず営業とは何かを知ろう」で解説します。

待ちではなく攻めの営業を行う

ユーザーの具体的な成果にフォーカスした提案によって受注に結び付けようとすれば、ユーザーから問い合わせが来て初めて営業をする、いわば「待ちの営業」ではうまくいきません。既に触れたように、機能提供型の提案は工数×単価のたたき合いの勝負になりがちで、勝っても（受注しても）利益がほとんど見込めないビジネスになってしまいます。

営業担当者は「攻めの営業」へと自らを変える必要があります。

ユーザーからの問い合わせは不要、あるいは対応しなくてもいいということではありません。問い合わせは貴重な「リード（引き合い）」であり、問い合わせからの案件化、そして受注はいわば定石といえます。

しかし、自社の戦略に沿った業務や体制などの変化による成果向上を目的としているユーザーは、今までのような「○○システムの導入を検討したい」という理由では問い合わせてこないのです。

事業に変革をもたらしたいユーザーは現在付き合いのあるIT企業に、例えば「中期経営計画を実現するために、システム側で変化を促すような提案はないのか（できないのか）？」などと声をかけるのです。ただ付き合いがあるとはいえ、既存システムの再構築などではなく、成果につながる新たな仕組みを生み出すためのものですから、IT企業はゼロから検討を始めなければならず、提案作成に時間と工数がかかります。

さらには声をかけてもらったからといって、そのIT企業が持つ強み、つまり提供できる価値がユーザーの求める変化に合致するかどうかも分かりません。大きな成果を実現できる提案に結び付かないこともあり得ます。場合によっては徒労に終わるかもしれません。

では、どうすれば攻めの営業が可能になるのでしょうか。ユーザーによる最初のアクションを受けて動くのではなく、業種や業務あるいは規模などで絞り込んだターゲットユーザーをIT企業が設定して成果向上につながる提案を作成し、自らアプローチすることです。システム開発の場合は自社あるいは自部門の強みを、パッケージやSaaSの場合は商品やサービスの強みを十分に生かしながらです。もちろん、提案内容が全てのユーザーにそのまま当てはまることはなく、場合によってはピント外れな提案になることもあるでしょう。仮説が間違っていても問題はありません。

ターゲットとして設定したユーザーに、相手の目線で自社の強みや商品の特徴などの価値を示して、変化を伴う成果向上の仮説を立て、ぶつけていけばいいのです。思い付きの提案ではだめですが、しっかりと準備したうえで作成した提案をぶつけることで、マイナスの評価になることはまずありません。逆にその提案に対してユーザーが自らが望む内容との乖離（かいり）を指摘してくれば、提案内容をブラッシュアップでき、受注の確度を上げられるのです。その提案を基にほかのターゲットユーザーに横展開できる可能性もあります。

自社の強みや商品の特徴を生かした提案は競合のいない商談折衝に持ち込みやすく、価格のたたき合いを排除します。利益率の高い案件を受注できるのです。加えて攻めの営業でたたき台となる提案を受けることで、より短期間に、少ない検討工数で、ユーザー側にとっては成果の実現が可能になります。

攻めの営業の重要性をお分かりいただけたでしょうか。

営業プロセスを把握し、柔軟に変化させながら対応する

ターゲットユーザーを設定して攻めの営業を行う場合は、接点づくりから始まり、どのように興味を喚起し、導入に向けた行動に移ってもらっ

たうえで受注すればいいのか、という営業プロセスを明確に把握しなければなりません。これをターゲットユーザーごと、提案内容ごとに変えていきます。

ユーザーと接点をつくり、認知・興味を引き出して提案につなげる。そして、提案から受注に向けて折衝するという営業のプロセスを、営業担当者自身が理解し、柔軟に設定する必要があるのです。

規模の大きなIT企業の多くは、組織的にユーザーとの接点づくりを進めています。マーケティング部門がユーザーに情報発信して問い合わせを生み出し営業部門に提供、これを受けて、営業担当者が提案から受注に向けての営業折衝を行うのです。営業折衝も会社が設定したパターンにのっとって進めていることが大半です。

しかし、興味の喚起から導入に向けての流れを把握し、自ら行動する営業はほとんどいません。付き合いのあるユーザーの窓口に「何かお困りごとはないですか」と投げかけるのはまだマシなほうで、「システム化の検討をしていますか」と案件を待っているだけの営業担当者もいます。既存ユーザーの追加開発案件に至っては、ユーザーとやり取りしている開発担当者が詳細を詰め、見積書の作成だけを営業担当者が行うような場合もあるほどです。

IT企業の発展には営業が不可欠

無理もありません。繰り返しますが、これまでの開発案件では、ユーザーが必要な機能を提示し、IT企業の開発部門が算出した工数を基に営業担当者が見積もりを作成し、提示するケースがほとんどでした。営業の役割は、ユーザーと自社開発部門とのやり取りの窓口を務めたり、開発部門が算出した工数から見積書を作成したりすることがメインのようになっていたのです。求められるスキルはコミュニケーション能力であり、「ユーザーと仲良くなる」ことが仕事の中心のようになっていた面があります。重要なのはソフトを開発する優秀な技術者であり、営業担当者の位置付けは決して高いとはいえませんでした。

さらに、パッケージやSaaSの機能を中心とした説明であれば、分かりやすいWebサイトや動画を制作して掲載するだけで十分という状況になりました。営業担当者は値引き交渉の窓口としか扱われていないケースも見受けられます。

一方でユーザーは機能による一次的な課題の解決ではなく、業務フローや体制／役割の変革を含めた成果の向上につながるITを求めるようになっています。

こういった時代に、営業の役割はどうあるべきでしょうか。必要機能の開発やパッケージ／SaaSの提供だけでは期待に応えられないというのは前述の通りです。自らの成果向上のためにユーザーは業務を変えることを恐れていません。営業担当者は、その変化を確実にするために自社が提供するシステムの機能が必要である、というアプローチに営業を転換させるのです。

自社あるいは商品の価値でどんな変化をユーザーに促し、成果を実現するかを考え、計画を作成し、アクションを起こす。この役目を担えるのは、営業担当者しかいないのです。

簡単なことではありません。ユーザーの業務内容はもちろん、事業や会社として目指す方向性、業界の動向などを把握し、そのうえで提案しなければ求める成果につながりません。しかし、やらなければ他社との競争に敗れてしまうのです。営業担当者の力量にIT企業の存続と発展がかかっています。

とはいえ、悲観的になる必要はありません。

全てのIT企業がこの課題に直面し、悩みながら変化しようとしているのです。その中で、どれだけ速くユーザーと共に変化できるかが勝負です。変化に適応したIT企業が頭ひとつ抜け出し、時間の経過につれ、その差は開くでしょう。

スタートラインは同じです。会社の規模や歴史にとらわれず、営業担当者がしっかり考え、計画を練り、アクションをするかどうかがカギになるのです。

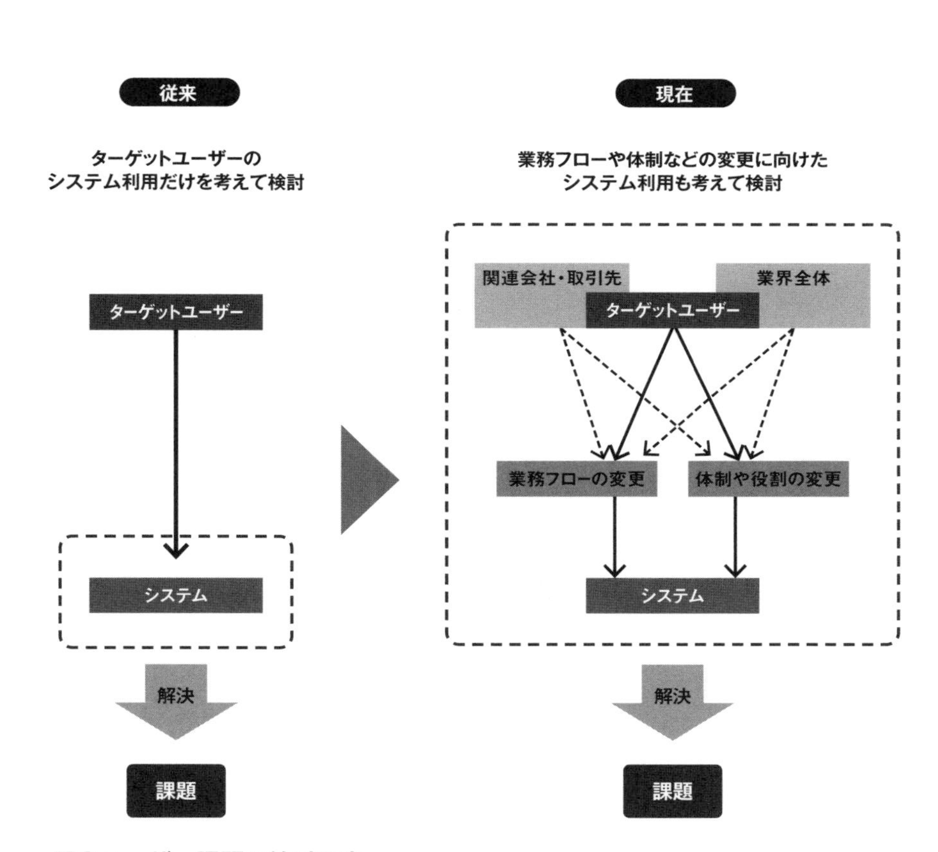

図●ユーザー課題の検討要素
ユーザーは業務や体制変更による成果向上を求めている

時代が求める営業担当者の姿

- **ユーザーの成果向上にフォーカスした提案を行う**
  ユーザーがデジタルによって事業に変革をもたらすよう志向し、明確な成果を求めるようになった。営業担当者はユーザーの成果とは何かを適切に把握する必要がある。

- **待ちではなく攻めの営業を行う**
  ターゲットユーザーを設定し、そのユーザーに対して成果向上につながる提案を作成したうえで、こちらからアプローチする。仮説が間違っていても、練り込んだ提案はマイナスの評価にならず、ユーザーにも自らにもメリットをもたらす。

- **営業プロセスを把握し、柔軟に変化させながら対応する**
  ユーザーの認知・興味を引き出し、提案から受注に向けて折衝するという営業のプロセスを、営業担当者自身が理解し、必要に応じて柔軟に設定する。

column

営業がもたらすDXの進化

ユーザーのDXを一段上へと引き上げるのは、営業担当者だといったら信じますか。

従来型のシステム開発の常識では、ユーザー独力でのDX実現は難しく、IT企業の協力が不可欠でした。しかし時代は変わりました。既にユーザーが独力で成果を出しているDXの領域があるのです。

具体的には、ユーザーの業務現場のデータ活用とシステム化です。例えば、生産現場の稼働状況をデータで取得し、複数のデータを俯瞰（ふかん）・把握することで生産工程やメンテナンスのタイミングを変えながら全体の歩留まりを上げるような取り組みがそうです。生産現場だけでなく、サービス部門や建築現場など多くの業務現場で効率を改善しています。改善にとどまらず、さらには今までなかった新たな事業を生み出しています。

特筆すべきは、現場で業務に携わるスタッフがITを利用して、トライ＆エラーを繰り返しながら業務フローや役割を変更させたケースがいくつもあることです。このような内製の取り組みが可能になった背景には、クラウドをベースとした様々なサービスの存在があります。

パソコンを使った表計算や文書作成などのローカルアプリケーションを別にすれば、サーバーやデータベースの導入を伴う業務システムは、情報システム部門あるいはIT企業の協力なしには構築や運用ができませんでした。クラウドの普及により、特別なノウハウがなくてもかなりのレベルまでシステムの構築や運用が可能になったのです。様々な用途のクラウド、特にSaaSの普及によりアジャイル的な進め方ができるようになり、知見が少ないユーザーの現場スタッフが自らの手でシステムを導入しただけでなく、その導入の速度もぐんと向上したのです。この事実は多くの業界にパラダイムシフトを起こしています。

IT企業から見るとどうでしょうか。従来手掛けていた仕事が減ると思うかもしれませんが、違います。業務現場でのDX、あるいはIT活用は、そもそもあまりビジネスの対象ではなかった領域ですから、仕事は減らないのです。

「お客様」は競合にならない

今後のIT企業には２つのチャンスがあります。

１つは、DXに欠かせないデジタル活用やIT利用の支援です。業務現場は、デジタル技術に詳しく、素養のあるスタッフばかりではありません。スタッフ不足でDXが遅れれば、ユーザーは事業競争力や企業そのものの価値の低下という深刻な問題に直面しかねません。

DXを実現する知見やノウハウの蓄積を支援するサービスに対し、ユーザーのニーズはどんどん大きくなっています。情報システム部門による支援には限界があります。こうしたサービスはIT企業の中でも大手が多いSIerよりも、価格面や機動力を考えれば、ソフト会社と呼ばれる小規模な開発会社や専門のコンサルティング会社に大きなチャンスがあるかもしれません。

もう1つは、業務現場で得たDXの果実を外販しよう、事業化しようと考えるユーザーへの支援です。実際に、業務現場のDXに成功したユーザーから、同業他社にも展開しようという動きが出ています。

それでは、今まで「お客様」だったユーザーが、競合になるのでしょうか。そう考えるのは早計です。成果が上がると、そのまま事業にできると考えるユーザーは多いのです。自社だけ、場合によっては1つの現場だけに導入し運用するのと、事業として多くの企業に提供するのでは、後者のハードルははるかに高くなります。この現実をユーザーが認識しなければ、ビジネスとして成功しません。

ここで、IT企業が持つシステム運用のノウハウや体制が価値を持ちます。事業化を考えるユーザーは、IT企業の力が必要です。両者をつなぐ重要な役目を担うのが、営業担当者だといえます。

ユーザーを一番よく知っているのは営業

ユーザーが実現したDXを事業にするには、2つのアプローチがあります。1つはIT企業が個別に開発・導入し、DXで成果を上げたソリューションを事業にすること、もう1つはユーザーが自らトライ&エラーしながら成功させたシステムを事業にすることです。

前者の場合、営業担当者は内容を理解しているでしょうから、導入後に成果が出た時点で事業化を打診すればいいのです。場合によっては提案段階からユーザーと事業の実現性などについて協議することがあるかもしれません。

後者では、営業担当者はユーザーと会話する際に、DXへの取り組み状況を把握できるでしょう。成果を出しているようなら詳細を聞き取ったうえで適切な部門、例えば現場部門が主導している場合は現場部門に事業化へのアプローチを行います。

ユーザーが事業に乗り出そうと考えているか、どういった成果を上げようとしているか、どう変化しようとしているか。その全てを知っているのは、営業担当者です。つまるところ、ユーザーのことを一番よく知っているのは、営業なのです。事業が決定した後は企画部門や開発部門に引き継ぐことが多いでしょうが、営業担当者の初動によってユーザーのDXには事業化の可能性がひらけてくるのです。ユーザーが真に求めているのは、この可能性に気づき、つかみ取ることではないでしょうか。

第2章

まず営業とは何かを知ろう

本章では、営業の目的と役割を説明します。営業には成果を上げるための具体的な方法（メソッド）があります。しかし、いくら方法だけを知っても、営業の目的や役割を知らなければその意味を正しく理解し、成果の上がる行動を取ることは難しいのです。目的と役割に加え、そもそも営業という仕事を包括する「事業」とは何かも解説します。

営業の目的は「利益の向上」
事業の3要素を押さえる

受注は営業の目的ではない

「営業の目的は何だと思いますか」と質問すると、ほとんどの人が「受注」や「(自社の) 売り上げの拡大」、あるいは「顧客の満足」と回答します。最初の2つを営業の目的に設定することが一般的でしょう。

しかし、これらを目的とすると様々な弊害が生じます。筆者は、営業の目的を「(自社の) 利益の向上」と定義するのが望ましいと考えています。企業活動は利益をベースにしているからです。いくら売り上げを増やしても、利益が出なければ意味がありません。

受注はどうでしょうか。受注しなければ利益は出ません。だからといって、受注を営業の目的とするのは禁物です。受注を目的にすると、安易に値引きしたり、営業工数をかけ過ぎたりしがちです。売り上げは上がるのに利益が出ないパターンに陥る恐れがあるのです。

営業の目的は「(自社の) 利益の向上」とすべきなのです。

では、営業での「成果」とは何でしょうか。それこそが「売り上げ」あるいは「受注」になります。

目的が利益の向上で、成果は売り上げというのは不思議に思うかもしれませんが、営業が直接目指すべきは受注であり売り上げなので、成果として間違ってはいません。

しかし、前述した通り、売り上げを目的に設定すると安易な値引きや営業工数の増加を招く恐れが高く、企業の存続と発展に欠かせない利益が減少してしまいます。だから営業の目的は利益の向上なのです。

事業における営業の役割とは

次に、営業の役割とは何でしょうか。

説明するには、「事業の構成要素」を知る必要があります。なぜなら、営業は自社の事業を行ううえで必須の役割だからです。

事業の構成要素が何かが重要です。営業する際には必ず意識してください。

皆さんの所属する企業は事業で得た利益がなければ存続できません。利益から皆さんの給料が支払われ、企業の発展につながる投資も行われます。企業の存続と発展のために事業は必須なのです。事業を持たない企業は存続できません。

では、事業とは何でしょうか？筆者は事業を以下のように定義しています。

事業の定義：商品やサービスを提供することで対価を得る活動

提供先が個人の場合もあるでしょうし、法人や自治体の場合もあるでしょう。しかし、いずれの場合も商品やサービスなどを利用者に提供して、対価を得る活動が事業です。対価を得ない活動は事業とはいえません。

事業にはいくつかの要素があります。具体的には「誰に」「何を」「どのように」の3つの要素で構成されています。

事業の構成要素：誰に×何を×どのように

誰に：ターゲットユーザー

何を：価値

どのように：提供方法

この3つの要素があやふやだと事業として成立しません。収益が上がらない事業は、この3要素のいずれかもしくは複数が正しく設定されていないのです。

3要素のうち、営業に最も強く関連するのは「どのように」、つまり提供方法です。

提供方法には2つの意味があります。1つは販売するという意味での提供方法、もう1つは商品やサービスのデリバリー（ユーザーに届けること）です。事業に影響するのは前者です。

営業は、事業の中でターゲットユーザーへの販売という形で価値を提供する、重要な役割を担っているのです。

最も重要な要素がユーザーの「成果」

事業の構成要素にはもう1つ重要な要素があります。「成果」です。商品やサービスがユーザーにもたらす成果が、事業にも、営業にも、重要なのです。

ユーザーは対価を支払って商品やサービスを購入しますが、商品やサービスが持つ機能などの価値を手に入れるためではありません。その

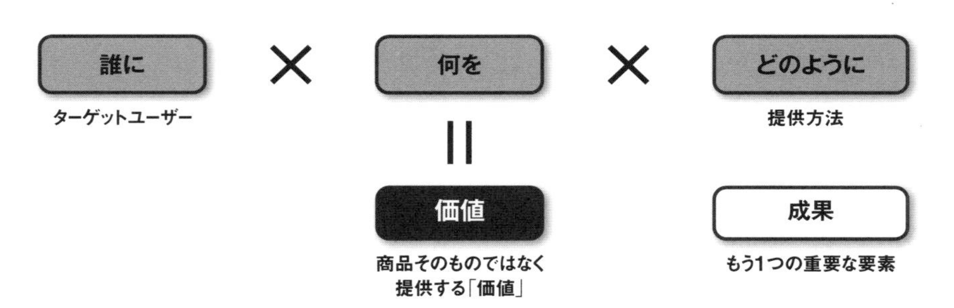

図●事業の構成要素
3つの要素に加え「成果」も

商品やサービスを使って、自らの目的となる成果を上げるために購入するのです。提供する商品やサービスにいくら多くの機能があっても、成果が出なければ意味はありません。

営業にとっても成果は重要です。ユーザーに提案する際に、いくら機能をPRしても意味がありません。**ユーザーが求める成果を実現する機能を提供する、という考え方に沿って提案しなければなりません。**ユーザー側で起きているのは、ビジネス自体の変革や革新などいわゆるDXであり、それらがもたらすべき成果への強い意向なのです。

具体的に何が成果になるのでしょうか。ユーザーが成果と捉えるものには、売り上げの増加や在庫削減、経費削減などが該当します。場合によってはさらに上位のキャッシュフロー改善や人材活用／育成などにも及びます。

成果の内容と質・量で、得られる対価は決まります。重要なのは、対

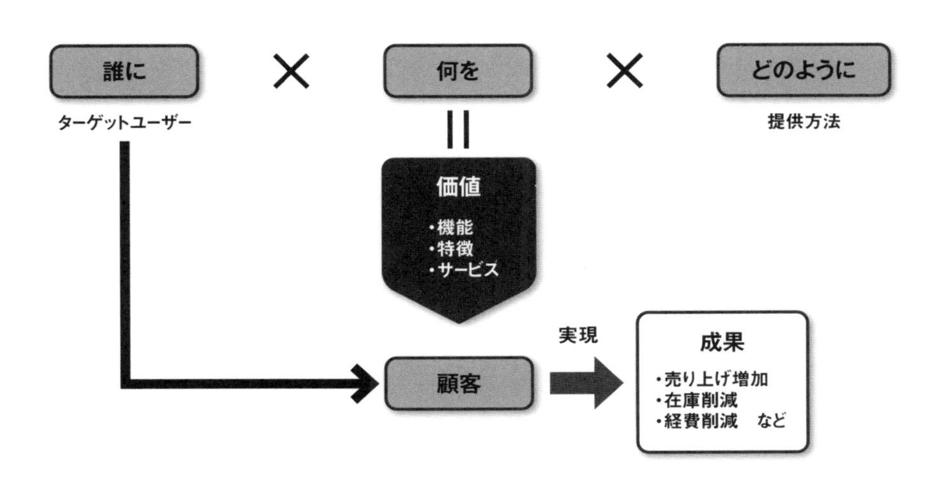

図●ユーザーにおける「成果」
顧客に成果を上げてもらう

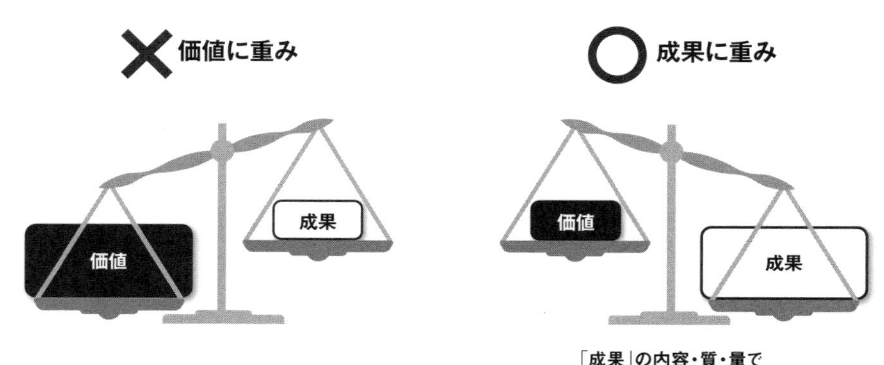

図●対価を決める「価値」と「成果」のバランス
対価は「成果」あってこそ

価は価値の大きさで決まるものではないということです。いくら機能がたくさんあっても、目的とする成果が出なければユーザーは対価を支払いませんし、そもそも発注しないでしょう。

変化を促して成果を上げる

価値と成果の関係性も把握する必要があります。

従来は、ユーザーの課題を解決するために機能などの価値を提供する「課題解決型」のシステム導入が一般的で、中にはサーバーのリプレース時期だからという理由でシステムを再構築するようなこともありました。システムの導入そのものが目的になっていたのです。

IT企業、特にSIerはシステム開発が生業（なりわい）であるがゆえに、システムだけで課題を解決する提案にとどまりがちです。しかし、システムだけで解決できる課題を解決して生まれる成果は、業務や体制などの変化による成果に比べると、小さいのです。

どうすればいいのでしょうか。ターゲットユーザーにおける業務フローの変更、体制あるいは役割の変更による成果の向上を検討し、その変更にシステムが必要だ…という思考に変えていくのです。場合によっては、ユーザーの取引先や関連企業なども含めたフローや、ユーザーの業界全体での取り組みなど、1社の枠を超えた視野での検討も有効です。システムでの解決に加え、さらに広い視点からの成果向上を検討しましょう。

初めての営業、大丈夫？

ここで営業というものを違う側面から見てみます。それは「職種としての営業」です。

現在、IT企業で営業を担当している読者もいるでしょう。新たに社会人となり営業部門に配属になった人や、中にはSEなど開発の担当から営業部門に異動した人など、ゼロから営業としてスタートする人もいるのではないかと思います。このような人たちは、営業という職種にどんなイメージを持っているでしょうか。

「会話が得意で、お客様と仲良しになり、たまに飲みに行ったりする」というイメージを持つ人がほとんどではないですか。実際にイメージ通りの営業担当者がいることは否定しませんが、「会話が得意」や「仲良くなる」といったことは営業の必須要件ではありません。

事実、筆者は世間話が苦手で、野球やサッカーには興味がなくゴルフもしない、営業には不向きのタイプです。しかし、営業担当者として成果を上げてきたのはもちろん、事業統括責任者として営業部門をゼロから立ち上げて育てた実績があります。

逆に「ザ・営業」というような、会話が得意で人と仲良くなれる能力にたけた人の多くは、ほかの営業メンバーや部下に対して「どう営業すれば成果が出るか」を説明できないものです。事業環境が変化した際に、その変化に順応できない人も少なくありません。

では、どういう資質が営業職に求められるのでしょうか。

それは、営業の目指す「ユーザーに商品やサービスを購入してもらう」という成果の向上に向けた、緻密な設計力です。事業という視点からどんなユーザーにどういった価値を提供し、どんな成果を上げてもらうのかを描き、ターゲットユーザーに対してどのようにアプローチして購入にまで至るかを計画する能力です。

「会話が得意」や「仲良くなる」という能力ではなく、「ロジカルに考え計画を立てる」ことと「立てた計画を実行する」という意思さえあればいいのです。

本書は営業をロジカルに考え計画を立てるノウハウ、つまりロジカル営業を実践する「ロジカルセールス」という営業メソッドを提供します。立てた計画を実行する意志さえあれば、誰でも成果の上がる営業ができます。

第3章からはロジカルセールスのメソッド＝具体的な営業の手順を解説していきます。

column

失注してもヘコむな、営業は確率論

営業はSEの仕事である開発と、いったい何が違うと思いますか。開発はシステムを開発・構築する、営業は商品やサービスを販売するわけで、「仕事の内容が最大の違い」と思う人が多いかもしれません。

確かにSEと営業職では業務内容が異なります。ただ、もっと本質的な違いがあります。開発は「実行した作業に対する成果を確実に得られる」のに対し、営業は「成果を確実に得られるとは限らない」ということです。

開発の作業では、仕様通りに開発・設定すればシステムやサービスは稼働します。テストケースに漏れがない限り、その範囲内であれば確実に動作します。

営業はどうでしょう。「このパターンで営業折衝をきっちり行えば、確実に受注できる」という保証はありません。筆者も「この案件は受注の確度が高い」と見込んでいたのに、ふたを開けてみると失注ということが何度もありました。

ユーザーの全ての状況は把握できませんし、状況が急変することもあるので、いくらロジカルセールスで営業しても、100%受注はできないのです。

営業は「確率論」の業務です。見方を変えると、「細かい失敗があっても大丈夫！」ということです。1つの案件がだめでもほかでカバーし、全体の受注確度を上げることで目標を達成すればいいのです。これが、SEなどで開発業務に携わっていた人に持ってもらいたい心構えです。

これから営業職に就く人は、最初からスムーズに受注できなくても落ち込んだりせず、ロジカルセールスを続けてください。仮説を検証しながら計画(Plan)、実行（Do)、評価（Check)、改善（Action）を繰り返すPDCAを回すことで、必ず成果が出ます。

	開発	営業
成果の有無	手順通りに作業を進めれば成果が出る	手順通りに作業を進めても成果が出ないことがある
目標到達の考え方	1カ所でも(プログラムに)不具合があると(システム)全体が動作しない	数件失注する案件があっても、手掛けている案件全体で目標を達成すればいい
	手順に沿って作業することが重要! →→→→→ 稼働	全体で目標を達成することが重要! → 受注 → ✖ 失注 → 受注 → 受注 → ✖ 失注

図●開発と営業の違い
営業は全体で目標を達成すればいい

第3章

営業の2大要素を因数分解

「営業の成果は受注」なら、受注するには何をすればいいのでしょうか。それをしっかり理解するために、ロジカルセールスでは、営業という行為を構成する要素を把握します。営業を、2大要素である営業ストーリーと営業テクニックに「因数分解」すれば、受注までに何を行うべきかが分かってくるのです。

営業ストーリーと営業テクニックをかけ合わせて受注に導く

5つの営業プロセスにアクションを設定

営業の成果は受注だと説明しました。では、受注のために何をすればいいのでしょうか。いきなり「発注してください」といってもうまくいきません。商品やサービスの説明でしょうか。説明も含まれますが、それだけではありません。

営業担当者が受注のためにやるべきことは大きく2つあります。1つ目は、受注までの「営業ストーリー」を設定すること。2つ目は、「営業テクニック」を使いながら営業ストーリーを進めていくことです。

営業ストーリーは、受注までの全アクションの流れを指します。ターゲットとなるユーザーに対して接点をつくり、自社の商品やサービスを知ってもらい、その商品やサービスが自らの成果向上につながることをユーザーが認識して発注するまでの、全てのアクションです。

ロジカルセールスでは最終的に、「内容A／B／C…を説明する」「A／B／C…を確認する」という細かなアクションまで落とし込みます。

営業というと、ユーザーと1対1で折衝する行為だけだと思われがちですが、違います。ターゲットユーザーとの接点をつくるところから始まり、受注まで至る長い道のりの全てが営業という行為なのです。

その道のりを旅していく具体的な営業ストーリーを考える際には、「営業プロセス」を理解するのが有効です。営業プロセスは「認知」「興味」「商談」「提案」「受注」の5段階に分かれます。

営業プロセスごとに取るべき具体的なアクションを詳細に設定したも

のが営業ストーリーです。

営業プロセスは認知→興味→商談→提案→受注の5段階

認知：ターゲットユーザーに商品やサービスの存在を知ってもらう

興味：商品やサービスが成果向上につながることを理解してもらう

商談：導入に向けて検討を開始してもらう

提案：提案内容が成果につながることを合意し発注の手続きに入る

受注：ターゲットユーザーが発注し、それを受注する

ターゲット
ユーザー

認知		興味	商談	提案	受注
商品やサービスの存在を知ってもらう		商品やサービスが成果向上につながることを理解してもらう	導入に向けて検討を開始してもらう	提案内容が成果につながることを合意し発注の手続きに入る	発注し、それを受注する
・Webサイト ・メルマガ ・ネット広告 ・ダイレクトメール ・ターゲティングメール	・展示会：リアル／ネット／カタログ ・訪問 ・アウトバウンドコール ・紹介	・メール問い合わせ ・Webフォーム登録 ・インバウンドコール	・電話／メール ・訪問 ・ネットミーティング	・訪問 ・ネットミーティング ・電話／メール	・発注書 ・契約書

様々な方法を組み合わせて内容を検討し、複数の営業ストーリーを作成する

図●具体的な営業活動の進め方
各プロセスに検討事項がある

営業ストーリーを設定してすぐに、実際のターゲットとなるユーザーに考えなしにアプローチしてはいけません。武器を持たず戦いに向かうような愚かな行為です。受注に結び付けるには、営業ストーリーに加えてもう1つ重要な要素があります。それが「営業テクニック」です。

営業テクニックとは、営業ストーリーを進めるための方法で、主に営業担当者がターゲットユーザーに対してアクションを取る際に使用します。例えば、打ち合わせで重要な内容を印象付けたり、合意したりすることでユーザーの判断に影響を与え、次のステップへ確実に進めるといったものになります。

営業の範囲が違ってもプロセスを把握する

先ほど「営業というと、ユーザーと1対1で折衝する行為だけだと思われがち」と書きましたが、理由があります。営業といっても認知から受注までの営業プロセスに、必ずしも営業担当者だけが関わるわけではないからです。

ある程度以上の規模のIT企業を見ればよく分かります。こういった企業には、マーケティング専門部署があるのが一般的で、営業プロセスの最初の2段階である認知と興味をマーケティング部門が主導します。マーケティング部門がターゲットユーザーとの接点をつくり（認知)、問い合わせてもらい（興味)、その問い合わせを営業部門にパスアップする（渡す）のです。

だからといって営業担当者は、この部分の営業プロセスを考えなくてもいいというわけではありません。営業は認知から受注までの全てのアクションの流れなので、一部を切り取って営業ストーリーを設定しても成果は出ないのです。問い合わせをしてきた人がいたら、なぜその人はそうしたのかを営業担当者が分かっていなければ、適切なアクションが取れません。商談から提案そして受注まで進めることは困難です。

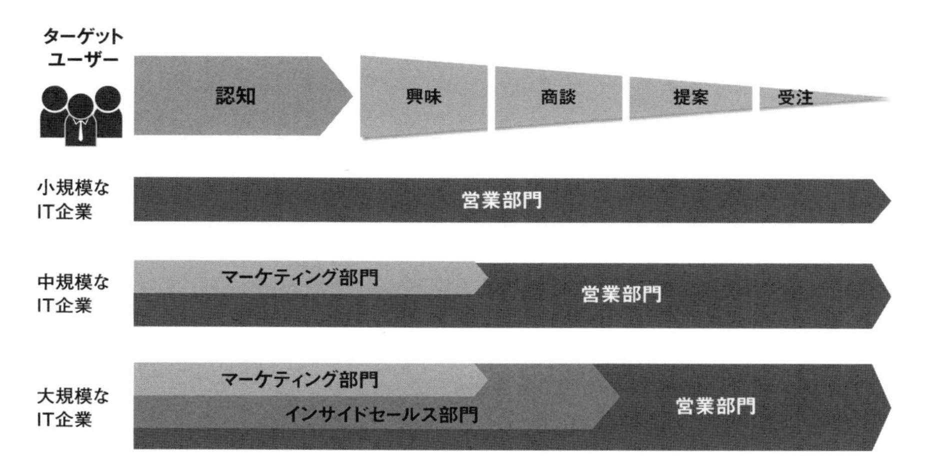

図●マーケティング／インサイドセールス／営業部門の営業プロセス
営業部門は「商談」から担当することが多い

そのため、認知と興味のプロセスでマーケティング部門がどのようなアクションを取っているのかを営業担当者が把握する必要があります。それを営業ストーリーに組み込んだうえで、続く商談、提案、受注の流れを設定していくのです。

最近では、インサイドセールス（内勤型営業）の部門あるいはチームを編成する大手IT企業も増えています。

インサイドセールスは営業プロセスの中の認知から商談の部分に当たり、営業そのものです。しかし、インサイドセールスをテレマーケティングと認識し、営業ではないと思っている営業担当者もいます。

これは大きな誤りです。インサイドセールスはれっきとした営業であり、マーケティング部門の活動と同様にインサイドセールス部門のアクションを営業担当者は把握し、営業ストーリーに組み込まなくてはなりません。

営業ストーリーと営業テクニックは誰のためか

現実には、営業ストーリーを設定し、営業テクニックを使ってユーザーにアプローチすることに抵抗感や罪悪感を抱く営業担当者がいます。開発を担当していたSEなどから営業職に転向した場合によくあります。営業ストーリーで受注するための流れをつくり、これに沿ってアクションすることに対して、ユーザーを誘導するイメージを持つようなのです。

営業テクニックのほうがさらに抵抗感が強く、実態はまるで違うのに人をだましているようなイメージを持つといいます。そもそも「テクニック」という表現そのものに抵抗感があるのでしょう。

営業ストーリーを設定し営業テクニックを駆使して受注することに抵抗感や罪悪感を抱く必要は全くありません。営業ストーリーと営業テクニックは、受注するIT企業だけでなく、発注する側のユーザーにもメリットがあるからです。

営業ストーリーは、どんなユーザーでもいいから受注しようというものではありません。**自分が提供する商品やサービスがユーザーにとっての価値であり、成果を向上させるものだと確認する行為**でもあります。営業ストーリーを進める過程でターゲットにならないことが明確になったら、そのユーザーに対する営業は中止するか、あるいは短期ではなく中長期での受注を目指すものに切り替えます（第4章参照）。**営業ストーリーは、ターゲット外のユーザーを選別し、不要な営業を行わないためにも有効です。**

これは、ユーザーにとってもメリットがあります。自社の成果向上に役立つと思って検討していた商品やサービスが、目的に沿うものではなかったことが分かるからです。その時点で、導入の検討を打ち切ることができるのです。

営業ストーリーのスムーズな進行を促す営業テクニックには、検討過程を速める効果があります。検討開始からシステムの導入までの期間が短縮するので、成果の実現も早期化します。たとえ導入しなかった場合でも、営業ストーリーが早く進むほど、必要なかった場合の導入検討打ち切りが早まります。営業テクニックは、受注するIT企業だけでなく発注するユーザーにも明確なメリットを提供しているのです。

営業担当者は、営業ストーリーを練り込み、営業テクニックを駆使して素早い判断をユーザーに促し、受注という営業の成果を向上させればいいのです。

営業は事業の企画運営責任者

第4章で営業ストーリーを具体的に説明する前に指摘したいことがあります。「事業の構成要素」の設定です。これを意識しないと、営業ストーリーと営業テクニックが正しく使えません。「営業の話なのに、なぜ事業が関係するのか」とまだ疑問に持つ人もいるでしょう。

第2章で、「誰に（ターゲットユーザー）」「何を（価値）」「どのように（提供方法）」という3つが事業の構成要素で、販売によって提供する役割を営業が担っていると説明しました。では営業は、決められたターゲットユーザーに価値を販売するだけでいいのでしょうか。

いいえ、違います。

筆者がSEから営業に転向し、試行錯誤していたころ、IT企業に勤める多くの営業担当者の活動を分析しました。考察した結果、以下の結論にたどり着きました。

それは、ターゲットとなるユーザーと提供する価値を絞り込んで営業するほうが、より多くの成果が上がっているという事実です。

なぜでしょうか。ターゲットユーザーを絞り込んだほうが、実現する成果や解決すべき課題が明確になります。提供する価値も絞り込んでいますから、提案内容がシンプルで分かりやすくなり、これが受注確度を高くするわけです。いわゆる「刺さる」提案ができるのです。

簡単だと思われるかもしれませんが、営業担当者からすると、ターゲットユーザーや価値を絞り込むのは勇気がいる行為です。ターゲットユーザーを絞るとアプローチする母数が減ります。母数が減れば受注の数が想定に及ばず、受注目標や売り上げが達成できないかもしれないという恐怖があります。たくさんの機能・特徴がある商品やサービスなのに、特定の価値だけに絞り込んでPRした結果、アピールしなかったら失注してしまうと考えるのです。すると、備える機能や特徴をできるだけたくさんPRしようとするのです。

しかし、全てのユーザーの要望に応えようと多くの機能や特徴をPRしても、結果として内容が分散して訴求力が下がるだけです。ターゲットユーザーや価値を絞り込まなければ、受注率は上がりません。

ここで別の疑問が浮かびます。絞り込んだターゲットユーザーからの受注率が上がっても、受注目標や売り上げの達成が難しい場合はどうすればいいのでしょうか。それには対処の方法があります。絞り込んだターゲットユーザーと価値の複数の組み合わせを設定し、それぞれに営業ストーリーをつくればいいのです。

PDCAサイクルで営業ストーリーを進化

「ターゲットユーザーと価値の絞り込み」による事業の構成要素の設定には2つのメリットがあります。1つは受注率の向上です。もう1つは、PDCAサイクルを回しやすいことです。

営業でのPDCAサイクルこそが筆者の提唱するロジカルセールスの根幹の1つです。経験や勘で営業し、うまくいったとしても、理由が分からなければ再現性がなく、部内や社内で展開できません。うまくいかなかったときも、改善や改良が難しいのです。

そこでPDCAサイクルです。ほかの業務と同様に、営業でも仮説を立ててアクションし、その結果を検証して仮説を変更し、またアクションする…。この繰り返しで内容を改善し、営業ストーリーを進化させるのです。

ターゲットユーザーや価値を絞り込んで営業ストーリーを設定すると、絞り込まない場合に比べて、仮説が詳細なものになります。詳細な仮説のほうが、営業がうまく進まなかった際にどこが間違っていたのかを明確にしやすいので、PDCAサイクルを回しやすくなるのです。

もう気付かれているかもしれませんが、**営業は「どのように（提供方法）」だけでなく、「誰に（ターゲットユーザー）」と「何を（価値）」も設定します。**

事業は3つの要素で構成しており、営業は提供方法としての販売を担っていると指摘しました。販売に加え、ターゲットユーザーと価値も自ら設定することが重要なのです。そうすることで受注確度を上げられるのだと、いま一度強調したいと思います。

営業担当者は事業そのものを企画し実践できる、いわば事業の企画運営責任者にほかなりません。

最近、営業職の人気がなくなっていると聞きます。営業経験者がマーケティング部門や事業部門への異動を希望することが増えているのです。転職する人もいます。数字に追われながら1件1件営業したうえで受注する仕事よりも、もっと全体を動かす事業部門や上流からアプローチできるマーケティング部門が格好良く見えるのでしょう。

しかし営業はユーザーに近い位置で事業を企画し、自ら実践できる仕事です。自身で設定したターゲットユーザー、価値および成果と営業ストーリーがはまり、受注できたときの達成感はひとしおです。PDCAを回しながら受注を増やす取り組みは、事業開発そのものといえます。

営業を担当している人は、自身が「事業の企画運営責任者だ！」という気概と認識を持ってください。

価値を使い分けて受注を促す

営業は、ターゲットユーザーと価値を絞り込み「刺さる」提案を行うことで受注確度を上げると説明しました。

価値を絞り込む一方、営業ストーリーを進めるためには様々な価値を組み合わせて利用します。では、価値をどう絞り、組み合わせたらいいのでしょうか。ここで「価値の種類」を説明します。

「直接」「間接」の２種類の価値を知る

ユーザーに提供する価値は2種類に分けられます。1つはユーザーの成果向上に直接つながる「直接価値」です。ユーザーの成果向上のために必要な価値で、最も重要となります。主な直接価値は機能であり、商品自体が持つ性能などの特徴もここに入ります。ターゲットユーザーとともに絞り込むのは、直接価値です。

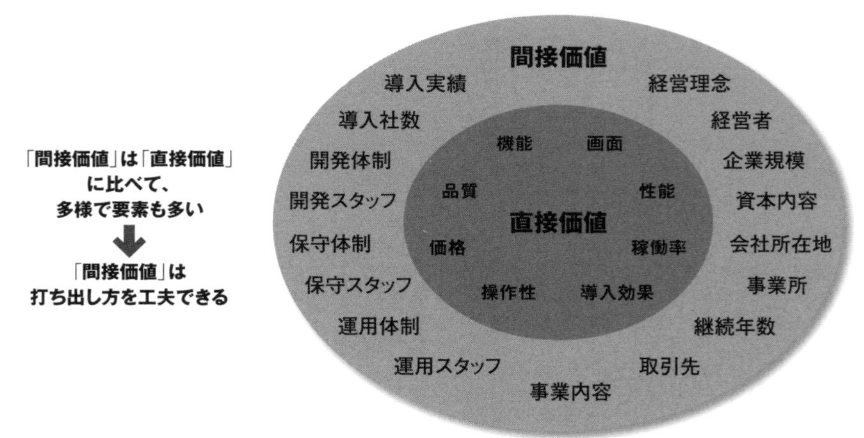

図●直接価値と間接価値の関係
間接価値が営業ストーリー進行を支える

もう1つは「間接価値」です。ユーザーの成果向上には直接関係はないものの、導入検討や判断の材料となる、商品やサービスに関係する情報を指します。自社の会社情報や取引先、導入実績、運用体制などが該当します。間接価値をうまく使うことで、営業ストーリーをスムーズに進めることができます。

会社説明は流してはいけない間接価値

代表的な間接価値は、営業担当者が属する会社の情報です。相手への会社説明という行為は、「間接価値を相手に提供する行為」と同義だといえます。

「大切なのは商品であり、会社説明は訪問時に冒頭でさらっと流せば十分」と考えている営業担当者は少なくありません。しかし、そうした姿勢では営業ストーリーが思ったように進まず、受注率も上がらないでしょう。ユーザーが導入を検討する際、間接価値は直接価値と同等か、場合によっては直接価値よりも大きな影響を与えるからです。

競合がひしめく中で、この直接価値を提供して、成果を実現できるのはこの商品だけ――。こんなケースはめったにありません。しかも企業向けIT商材は、提案時に聞かされた直接価値や見込んだ成果が実現できるかどうかが導入してみないと分からないケースが大半です。ユーザーもその点は分かったうえで提案を聞いています。

そこで効いてくるのが間接価値です。筆者が最初に間接価値の存在と重要性に気付いたのは自身の経験からでした。

SEから営業に転向したての頃の話です。当時は受託開発の営業も担当していました。ユーザーの要求仕様に基づいて見積もりを作成し、ソリューションを提案する役割です。そのときに在籍していた会社ではエンジニアの単価を高く設定していた事情もあり、特に取引実績がない企業からはなかなか受注できませんでした。

受託開発の営業で、直接価値を打ち出して他社との差異化を図るのは困難です。商品やサービスが既に存在しているわけではなく、ユーザーの要望に従って開発するので、機能の優劣をつけにくいのです。

当時はまだ成果の重要性に気付いておらず、機能などの価値だけを前面に出して提案していたことも苦戦の原因でした。ある時から筆者は、開発スタッフの経歴や導入実績、会社内容といった間接価値を打ち出して営業に取り組むように変えました。

例えばこうです。「弊社が開発するシステムは、他社に比べて不具合が圧倒的に少ないと自負しています。開発スタッフは対象業務を熟知しており、開発手法に関してIT雑誌に連載するなど他社を指導できるレベルの技術力があります。開発実績も豊富です。単価が高く値引きもほとんどできませんが、ご検討の価値は十分あると思います。リスクを承知で価格が安い他社へ発注するより、多少高くても良いシステムをきっちり開発する弊社にお任せいただくほうがいいのではないでしょうか」。そうしたところ、受注率が上がっただけでなく、受注までの期間が短縮し、さらには値引き幅も抑制できるようになったのです。

この経験はパッケージソフト事業を立ち上げる際に役立ちました。間接価値を打ち出す営業折衝に変えたのです。すると、受注までの期間が短くなっただけでなく、アポが取りやすくなり、さらに導入検討の割合が高まって受注率が向上したのです。このとき改めて間接価値の重要性を深く認識しました。間接価値を使えば、受託開発だけでなく、パッケージソフトなどでも受注確度を高められるのだ、と。

直接価値と間接価値を意識し、使い分けることで早期の受注と受注率の向上を促せます。特に間接価値は種類が多いので打ち出し方を工夫できます。間接価値を活用した、受注の短期化と受注確度の向上の取り組みは必須です。

第4章

営業ストーリーと営業テクニック

営業に必要な2つの要素の「営業ストーリー」と「営業テクニック」を詳細に見ていきます。ターゲットユーザーと価値を絞り込んだ後、それぞれの営業プロセスで適切にアクションの流れを組み立てたものが営業ストーリーです。営業ストーリーを設定し、価値を相手にどう訴求するか、それぞれのアクションをスピーディーにまとめる技術が、営業テクニックになります。この2つの要素を組み合わせ、複数の営業ストーリーを試して早期の受注を目指します。

「ターゲットユーザー×価値」ごとに営業ストーリーを設定する

さっそく営業ストーリーを設定していきましょう。ターゲットユーザーの絞り込み方は第5章で紹介し、ここでは営業ストーリーの設定について説明します。

営業ストーリーはアクションの流れの集合体であり、第1の営業プロセスである「認知」から始まり5番目の「受注」までつながっていきます。もう一度、第3章で紹介した営業の5段階のプロセス「認知」「興味」「商談」「提案」「受注」の流れを頭に入れてください。図も再掲します。

営業ストーリーは、絞り込んだターゲットユーザーの像に応じて設定します。規模や業種、あるいは部門や役職などでそれぞれの行動特性が異なるためです。認知に関わる営業ストーリーは、情報を収集する際に

図●具体的な営業活動の進め方

インターネットを使うのか、業界団体との接点を使うのかで変わってきます。商談に関わる営業ストーリーは、ネットの接触が好ましいのか、対面が喜ばれるのかなどで異なります。これらの特性に営業ストーリーを合わせる必要があります。

デジタルとアナログ、PUSH型とPULL型

営業ストーリーはアクションの集合体だと話しました。個々のアクションを設定するうえで、知っておくべきことがあります。アクションは「デジタル」と「アナログ」、「PUSH型」と「PULL型」で分類が可能だということです。これらを縦軸と横軸に置いた4象限を意識します。

「デジタル」のアクション：ネット広告やターゲティングメール、あるいはWebサイトでの情報提供などを中心としたもので、人の稼働が伴わないため効率が良い。一方、自分でコントロールしにくい
「アナログ」のアクション：アウトバウンドコール（自社から相手への電話）や展示会などで、人の稼働が伴うため効率が悪い。一方、自分でコントロールしやすい
「PUSH型」のアクション：こちら側からユーザーに対してのアクション
「PULL型」のアクション：ユーザーからこちら側へのアクション

全てのアクションはデジタルとアナログ、PUSH型とPULL型の組み合わせに分類できます。アウトバウンドコール（自社から相手への電話）

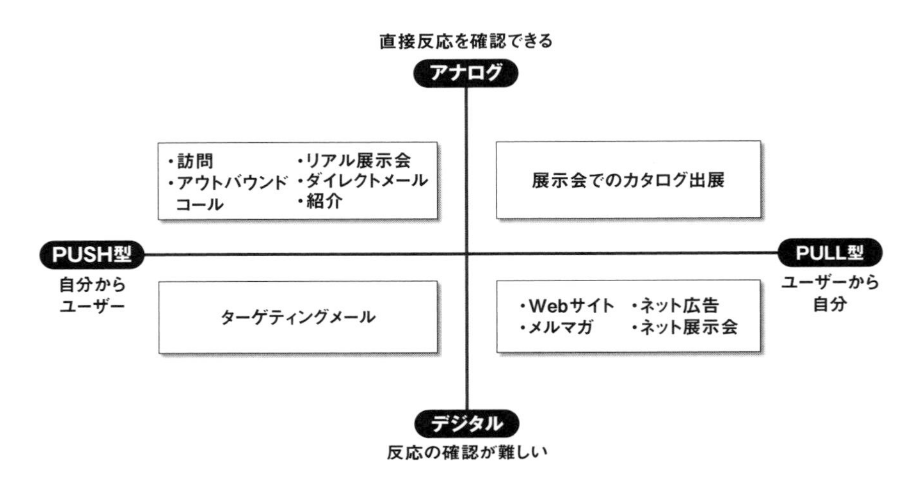

図●アナログとデジタル、PUSH型とPULL型の関係
4つの関係と営業アクションのマッピング

は「アナログ×PUSH型」で、工数はかかりますが接触量はコントロールできます。Webサイト上で商品紹介の動画などを見たユーザーからの問い合わせは「デジタル×PULL型」で、工数がかからないので効率は良いのですが閲覧数のコントロールは簡単ではありません。

デジタルとアナログ、PUSH型とPULL型をどう組み合わせて営業ストーリーとして設定するかが考えどころです。適切なものであれば、各営業プロセスの目的を達成し次の営業プロセスに進めます。デジタルとアナログ、PUSH型とPULL型のどちらが良いか悪いかということではありません。

アナログとデジタルのアプローチを組み合わせた営業ストーリーの一例を挙げます。例えばセミナー案内のアウトバウンドコールからターゲットユーザーをWebサイトへ誘導し、認知させたところで再度セミナーを案内するといったアクションがあります。中長期案件になるようなら、ウェビナーやメルマガ配信につなげるという設定が考えられます。

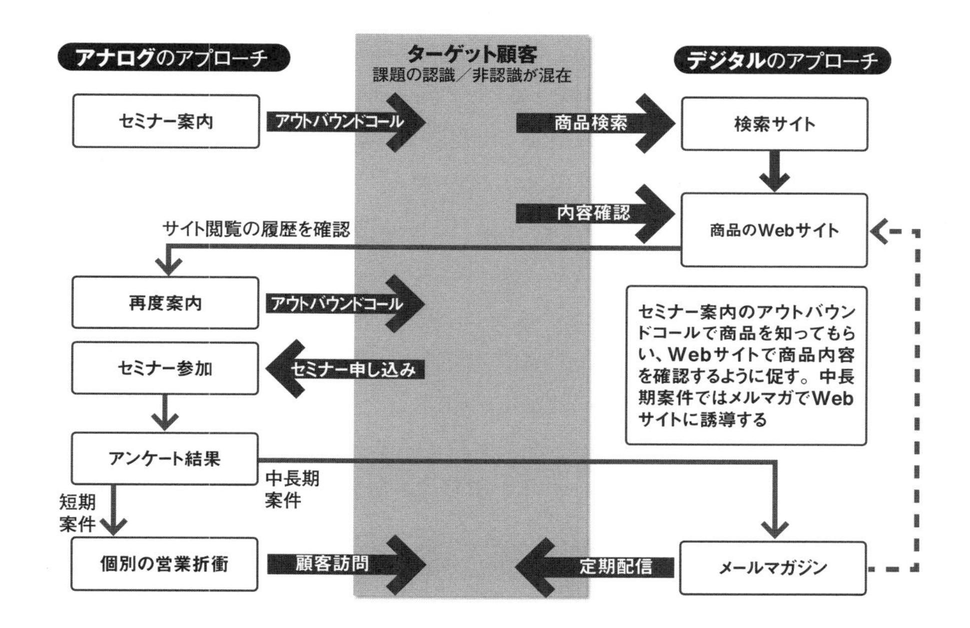

図●ターゲットユーザーへのアプローチ例とユーザーの流れ
アナログで接点をつくりデジタルへ誘導する

▌「認知」に関わる営業ストーリー

1番目の営業プロセスである認知に関わる営業ストーリーについて説明します。

認知に関わる営業ストーリーは、**ターゲットユーザーに商品やサービスの存在を知ってもらうための一連のアクションです**。存在を知ってもらえないと何も始まりませんから、重要な営業ストーリーです。

アナログとデジタルのアクションを認知に適応するとどうなるでしょうか。アナログのアクションには、展示会に出展して興味を持つユーザーと接点をつくる、ターゲットユーザーの企業リストに対しアウトバウンドコールやダイレクトメールを送るなどがあります。デジタルのアクションには、ネット広告やターゲティングメールが相当します。

IT企業の中でも、個別の要件に応じてシステムを開発することが多いSIerの営業は、既に取引のあるユーザーへのアプローチが多くなります。その場合も、認知の営業ストーリーを設定します。なぜなら、現状の取引でやり取りしている人が、これから提案するターゲットユーザーだとは限らないからです。

情報システム部門と取引があるとしても、ターゲットユーザーが生産部門の場合は、新たに生産部門の担当者に商品やサービスを認知してもらわなくてはなりません。ターゲットユーザーを生産部門に絞り込んだアクションを前提に、営業ストーリーを設定するわけです。

多くの場合は、既知の情報システム部門から生産部門の担当者を紹介してもらうアナログのアクションが中心になるでしょう。一方、自社で保有する問い合わせ履歴や社員が名刺交換をした情報などを使ったデジタルのアプローチも可能です。両方を組み合わせれば、効果向上が期待できます。

認知のアクション

認知の営業ストーリーで使う主なアクションには以下のようなものがあります。一度に多くのアクションを実施するのは難しいため、優先順位を決めて必要な工数を勘案しながら可能なアクションを組み合わせてください。

アウトバウンドコール

ターゲットとなるユーザー企業に電話をかけ、提案先となる部署につないでもらったうえで、認知を促すアクションです。テレワークが普及している今、電話でのアプローチは意味がないと思う人もいるかもしれませんが、テレワーク率が低い業種や職種では効果が見込めます。

ターゲティングメール

ターゲットユーザーのリストを準備し、メールで認知を促します。自社で用意したリストがあればこれを用い、リストがなければ、ターゲティングメールサービスを提供している企業に依頼します。外部に依頼する場合は、条件を出してリストを絞り込み、費用対効果を高めて実施します。

展示会

同種の商品やサービスが集まる展示会へ出展します。ターゲットとなるユーザーの来場者数が少なければ展示会での認知は見込めません。開催時期や規模、来場者の属性や属性ごとの来場者数などを調査し最終的に出展するかどうかを決めます。

最近ではリアル展示会（オンサイト）だけでなく、ネット上でのオンライン展示会も多いので、オンサイトかオンラインかを問わず調査します。新型コロナ禍が終息しつつある現在、費用や工数はかかっても優先すべきはリアル展示会です。オンラインに比べて来場者との接触の密度が濃く、来場者の状況を詳細に把握でき、ニーズに合わせた商品やサービスを紹介しやすいからです。

既存取引先への接触

IT企業の営業では、ターゲットユーザーと既に取引のあることがよくあります。既存の担当部門がターゲットユーザーであれば話は早いのですが、部門が異なる場合は新たな営業ストーリーの設定が必要です。担当者を紹介してもらうといったことや資料転送、ターゲット部門向けセミナーの開催などが考えられます。

訪問（アポなし訪問）

面識のないターゲットユーザーへのアポイントメントのない訪問（アポなし訪問）のことを指します。Webサイトを閲覧して問い合わせてきたユーザーにアポを取って訪問する場合は除きます。

アポなし訪問というとブラックなイメージがあり、ネット中心の時代にそぐわず成果が出ないように思えます。やみくもに「このビルの上階から1階までとりあえず訪問するぞ」といった方法は勧めませんが、一定の条件を満たしている場合に、ほかのアプローチと組み合わせると成果が出ることがあります。

例えば、全国には「卸売団地」や「工業団地」といった地区があり、各地域の自治体が条件を満たす企業に向けオフィスや工場スペースを優遇して提供しています。その地区に出向いて、企業を直接訪問すれば効率的にアプローチできます。この場合は、次の「興味」の営業ストーリーで説明するセミナーと組み合わせると効果が上がります。

業界団体／協会への接触

ターゲットユーザーの属する業界団体や協会がある場合は、その団体や協会を通してターゲットユーザーへの認知を促すことが可能です。

団体／協会の理事あるいは専務理事クラスに提案内容を説明し、承諾を得た後にアクションを取ります。具体的には会報誌やWebサイトへの掲載、セミナーの開催などです。

協力に当たっては、参与会員などの年会費のかかる会員への登録が条件となる場合が多いので、費用対効果を考えて判断します。

ダイレクトメール（手紙）

いまどきダイレクトメールは効果がないように感じるかもしれませんが、ターゲットユーザーの規模や使い方によっては効果があります。小規模企業がターゲットユーザーの場合、代表者（社長）あての手書きの手紙だと印象に残りやすく、認知を促すには効果的です。効果を上げるために、アウトバウンドコールなどほかのアプローチと必ず組み合わせましょう。

ターゲットユーザーがネットで検索し、検索結果から自社のWebサイトを閲覧して商品やサービスを知るという営業ストーリーもあります。認知の営業ストーリーにおける「デジタル×PULL型」のアプローチです。

多くのターゲットユーザーが自社商品やサービスを認知し、問い合わせてくれれば営業は楽ですが、現実は甘くありません。Webサイトに情報を掲載・提供するだけでほかに何もしなければ、認知は進まず問い合わせもまず来ないのが実情です。

「興味」に関わる営業ストーリー

認知の次の段階、2番目の営業プロセスである興味に関わる営業ストーリーを取り上げます。文字通り、商品やサービスの存在を認識したターゲットユーザーに、今度は興味を持たせるためのアクションです。

興味に関わる営業ストーリーとは、**その商品やサービスは有益で、成果向上につながる可能性があると考えるターゲットユーザーとIT企業**

との接点ができるまでのアクションを指します。

興味のアクション

興味に関わるアクションには以下のようなものがあります。デジタルとアナログのそれぞれ1つずつを例に挙げます。

Webサイト

Webサイトの開設と運用は興味に関わるプロセスで最も重要です。どんな営業ストーリーを設定しても、Webサイトは必ずその中に含まれます。Webサイトにアクセスするきっかけは、ユーザー自らが検索サイトで検索しWebサイトを閲覧する場合も、ネット広告や比較サイトから流入する場合もあるでしょう。

アナログのアクションが中心の営業ストーリーであっても、ユーザーは営業ストーリーの早いタイミングでWebサイトを閲覧します。

例えば展示会で、ある商品やサービスの存在を知り、説明を受けたユーザーが次に取る行動は、その商品やサービスのWebサイトの閲覧です。アウトバウンドコールでも同様、電話で商品やサービスの存在を知ったユーザーはWebサイトを閲覧します。

ネットでの事前情報収集はごく当たり前の行動です。もともとはコンシューマーによる購買行動の一部でしたが、今ではビジネスの購買行動にも組み込まれています。

いずれにしても、Webサイトを閲覧したターゲットユーザーが、自らにとっての課題を解決する価値が提供されており、求める成果が実現できると認識しなければ、興味は喚起されず、問い合わせには至りません。Webサイトの内容は、ターゲットユーザーが、価値や実現する成果を明確に認識できるようにする必要があります。

商品やサービスが1つだからといって、Webサイトが1つでは十分といえません。同じ商品やサービスでも、ターゲットユーザーや価値を絞り込んで複数の営業ストーリーを設定するのです。それぞれの営業ストーリーにWebサイトを用意するほうが、よりアクションが効果的になります。

例えば、メインの商品紹介のページに加えて、製造業や小売業のユーザー向けに訴求するそれぞれのページをつくり、メインの商品紹介ページから「製造業のお客様はこちら」「小売業のお客様はこちら」などとリンクを貼って誘導するのです。

セミナー

セミナーは、受講したユーザーが興味を持ち、問い合わせるきっかけにします。次の営業プロセスに進むためで、開催が目的ではありません。参加者ゼロでは意味がないのです。内容も重要ですが、セミナー参加人数を増やす工夫が要ります。

まずセミナーの存在をターゲットユーザーに知らせ、そのうえでセミナー紹介のWebサイトなどからの確認・申し込みにつなげる営業ストーリーを設定します。

ネットのセミナー（ウェビナー）は、主催側の工数がリアルのセミナーに比べて少なく効率的です。移動などがなく利便性が高いため参加者の人気も高まっています。積極的に活用するといいでしょう。

ただしウェビナーには注意点が2つあります。

1つは、参加者の興味度合いをその場で把握し、コミュニケーションが取れるリアルのセミナーと異なり、ウェビナーは参加者の興味度合いが測りにくく、コミュニケーションを深めるのは難しいことです。ウェビナーをきっかけに、その後の営業ストーリーを短縮し、受注率を高めるようコントロールするのは容易ではありません。

もう1つは、受注率がコントロールできないので、ある程度の参加人数を確保しなければ受注に至るリードを確保しづらいことです。集客に有効な営業ストーリーが必須です。

以上のようにWebサイトとセミナーの2つが、営業プロセスの興味に関わる営業ストーリーでの代表的なアクションとなります。

実際には、認知に関わる営業ストーリーのアクションで挙げたアウトバウンドコールも、興味に関わる営業ストーリーのアクションといえます。アウトバウンドコールは商品やサービスの存在を知らせ、その価値が成果につながることを認識してもらうだけでなく、セミナー申し込みに誘導する、Webサイトに掲載する事例集のダウンロードを促すといった点でも有効だからです。その後、追加のアウトバウンドコールでフォローし、資料を送付するなどして興味を促すのです。展示会来場者にアウトバウンドコールをかけ、アポを取って訪問してもいいでしょう。

最も望ましいアクションは、ユーザーからの問い合わせです。接点をつくるための能動的な行動である問い合わせは、商品やサービスの導入を検討している企業からの場合が多く、早期受注の可能性も受注率も高くなります。しかし、問い合わせ数をコントロールして増やすのは難しいため、アウトバウンドコールなどほかのアクションと組み合わせた営業ストーリーをつくってください。

デジタルマーケティングは必須

Webサイトを中心にデジタル技術を活用した「デジタルマーケティング」は、営業に必須の手段です。デジタル×PULL型のリード生成はデジタルマーケティングの1つの手法です。ターゲットユーザーの認知を促し、興味を引いたうえでリードをつくり、受注までを効率的・効果的に進めます。Webを中心として主にリード生成までを行う「Webマーケティング」や、見込み客のネット上の行動データから適切なフォローをしてアクションを促す「マーケティングオートメーション（MA）」など、様々な手法やツールがあります。

注意すべきは、どんな商品やサービスであってもWebマーケティングを行えばリードが取得できたり、あるいはMAツールでリードを受注へ促し売り上げを向上できたりするわけではない、ということです。

Webサイトの閲覧や問い合わせが少ない状況で導入しても、自動化によるフォローの効率向上がMAツールのベースですので期待ほどの効果が見込めません。Webマーケティングも、やみくもにSEO（Search Engine Optimization：検索サイトで上位に表示させる手法）対策やネット広告に費用をかけたからといって効果はほとんどありません。ターゲットユーザーと価値、実現する成果を設定したうえで、その内容がWebサイトで正しく表現されている必要があります。

大事なのは、ターゲットユーザーと価値を決め、それに対する営業ストーリーを設定することです。デジタルマーケティングの手法やツールの知識を持ったうえで、営業ストーリーの設定時に、適切な手法やツールを利用すればいいのです。

営業の勝負どころ
アポ取りと訪問

「商談」に関わる営業ストーリー

今まで説明した認知や興味に関わる営業ストーリーのアクションは、マーケティング部門が多く担当します。3番目の商談の営業プロセスに関わる営業ストーリーからは、営業部門が担当するアクションがメインになります。営業担当者の最大の腕の見せどころでしょう。

以下では、具体的な営業ストーリーの例に営業テクニックを交えながら説明します。商談に関わる営業ストーリーは対面での折衝が中心となり、対人であるがゆえに、営業テクニックが効果的になるのです。

まずこれから登場する営業テクニックを紹介します。

よく使う営業テクニック

契約行為

最も重要な営業テクニックです。ロジカルセールスでは、ユーザーに対して確認・合意を取る行為のことを指します。契約行為は導入意思や導入時期などの重要なポイントだけでなく、アポ取りの進め方や訪問時の商品説明など活用できる場面が多く、効果も絶大です。

セットでの確認

同意を得にくい内容がある場合、前後に同意を得やすい内容を置いてサンドイッチのように挟むことで、全体の同意を促すテクニックです。

目次の提示

主に訪問やWebミーティングの際に、会社説明や商品説明、提案などの内容をまず提示し、進める順序と内容を最初に確認することです。理解を助ける行為なので、相手が好感を持って受け止めます。

選択の提供

1つの内容に対してYes／Noを回答させるのではなく、複数の選択肢を提示して、そこから選んでもらうテクニックです。選択しづらいものに加えることで、こちらが望む選択を促す効果があります。複数から選択できると、「自分の意に沿った対応をしてもらっている」という安心感が相手に生まれます。

商談の2大アクション

営業プロセスの商談に関わる営業ストーリーは、**商品やサービスに興味を持ったユーザーに、価値や実現する成果を説明し、導入に向けて検討を開始してもらう一連のアクション**になります。

導入に向けた検討は、Webサイトでの情報や資料、動画などのコンテンツの提供、あるいはアウトバウンドコールでのやり取りだけでは難しく、対面での営業折衝が大きな意味を持ちます。Webミーティングによるリモート環境下の営業折衝も商談に関わる営業ストーリーに含まれます。

商談に関わる営業ストーリーの最初のアクションが「アポイントメン

ト取得（アポ取り）」です。商品やサービスに関してネットで問い合わせたり、セミナーに参加したりしたユーザーに対し、訪問のアポを取るのは営業ではごく普通の行為です。ネットから問い合わせてきた見込み客へのアポは比較的取りやすいのですが、展示会の来場者からは困難です。展示会の来場者は、商品やサービスは認知しているものの、興味までは持っていないケースがよくあるからです。

次の重要なアクションは「訪問」です。営業による商談の成功はアポ取りと訪問にかかっているといって過言ではありません。アポ取りと訪問の2大アクションについて詳しく見ていきます。

アポ取りの目的

アポをうまく取るには、どうすればいいでしょうか。「そもそも、なぜアポを取るのか」を理解するとおのずと答えが見えてきます。

アポを取る理由は訪問ではありません。**訪問自体は目的ではなく、最終的に受注するためにアポを取るのです。**

受注が見込めないユーザーにアポを取っても意味がありません。受注率を下げるようなアポの取り方もご法度です。いかに受注につなげるかから考える必要があります。

「アポを取る」という目的で営業ストーリーをつくるに当たって、重要なポイントが2点あります。1点目は、同じアポ取りでも、ユーザーに応じて最適な営業ストーリーにすることです。

Web経由の問い合わせと展示会来場者で異なるアポ取り

前述した通り、Webサイト経由で問い合わせてきた人と展示会来場者とでは興味の度合いが異なるので、アポの取り方も異なります。後者のほうが難易度は高くなります。

Webサイト経由の問い合わせに対してアポを取る営業ストーリーの

例を示しましょう。

Webサイト経由の問い合わせに対してアポを取る営業ストーリー

x-1. 問い合わせの礼を述べる
x-2. 今、電話でやり取りする時間があるかどうかを確認する
x-3. Webサイトを閲覧した理由を確認する
x-4. 問い合わせの背景や経緯、商品への興味の度合いを確認する
x-5a. 情報収集であれば、資料の送付を打診し、中長期的なフォローに切り替える
x-5b. 導入に向けた検討であれば、商品説明の訪問を打診する
x-6. 訪問OKであればスケジュールを調整する

x-5aとx-5bのどちらを選ぶかは、相手が情報収集中なのか導入検討中なのかで変わります。情報収集中のユーザーは訪問しても受注につながる可能性は低いので、導入検討中のユーザーに絞って訪問する営業ストーリーにします。

アポを取得する母数が少なく、可能性は低くてもできる限りアポを取りたい場合や、テスト的に一定数の情報収集中のユーザーにも訪問してアポ取得率がどの程度か把握したい場合は、相手が情報収集の段階であっても「資料をお持ちして説明したい」などと伝えて訪問を促す営業ストーリーを設定します。

展示会来場者へのアポ取りのためには、異なる営業ストーリーが必要です。以下のような流れになります。

展示会来場者のアポを取る営業ストーリー

y-1. 展示会来場者に連絡している旨を説明する
y-2. 来場の礼を述べる
y-3. 今、電話でやり取りする時間があるかどうかを確認する
y-4. 展示商材関連の情報交換を行いたい旨連絡していると説明する
y-5. 展示会来場の目的と導入検討状況を確認する
y-6. 関連情報の提供とユーザーニーズの把握のため、訪問したい旨を打診する
y-7a. 興味がなければ、電話応対への礼を述べて終わる
y-7b. 興味はあるが、訪問がNGなら、中長期的なフォローに切り替える
y-7c. 興味があり、訪問してもOKなら、訪問スケジュールを調整する

前述のWebサイト経由の問い合わせに対する営業ストーリー(x-1～6)と比べてください。Webサイト経由で問い合わせてきた見込み客向けには、自社の商品やサービスに興味がある前提で営業ストーリーをつくりましたが、展示会来場者向けではこうはいきません。商品に興味を持っていないケースが多いからです。

そこでy-6のように、最初の訪問の目的を「関連情報の提供とユーザーニーズの把握」として、ワンクッション置きます。興味を持っていない展示会来場者に商品を説明したいといっていきなり訪問を打診しても、抵抗感を生むだけです。営業ストーリーは前に進みません。

まず関連情報の提供とユーザーニーズの把握を目的にアポを取って訪

問します。相手とのやり取りの中で検討状況や興味の度合いを確認しつつ、関心がありそうなら「情報提供ということで訪問しましたが、よろしければ弊社商品も軽く説明させていただきます。少しお時間を頂戴してよいでしょうか」などと打診し、承諾を得てから商品説明に入ればいいのです。

営業ストーリーに営業テクニックを組み込む

アポ取りに当たってのもう1つのポイントは、営業ストーリーに営業テクニックを組み込むことです。紹介したアポ取りの詳細ストーリーには、「選択の提供」と「契約行為」の2つの営業テクニックを組み込んでいます。順に説明しましょう。

1つ目の選択の提供とは、会話の中で相手に回答の選択肢を与えることです。展示会の来場者向け詳細ストーリーでは以下のように設定しています。

> y-6. 関連情報の提供とユーザーニーズの把握のため、訪問したい旨を打診する

意図しているのは「相手に（商品やサービスに関して）興味がない、あるいは興味はあっても訪問NGであれば訪問しない。興味があり訪問OKの場合だけ訪問する旨を提示する」という点です。「訪問を受けない」という選択肢を相手に与える言い方なのが分かるでしょう。「訪問させてください」という言い方だと、こちらから頼むことになります。すると多くの場合、「不要です」などとあっさりと回答されるので、次につながる可能性が低くなります。

選択肢を与える形で話を持ちかけると、普通は何かを選ぶ形で回答しますから「どちらも不要です」と回答される確率は下がります。さらに

単純な一択ではなく選択肢を示すことで、「一方的に回答を押し付けるのではなく、自分の意思を確認してくれる、尊重してくれる」とユーザーが感じて、営業担当者への信頼感が生まれやすくなるという効果もあります。

選択の提供は、相手からの要求を絞りたい場合にも有効です。購入意思はあるものの、値引きに加えて、例えば導入作業や無償トレーニングなどをユーザーが要求してきた場合であれば、「ご希望の内容は実施しますが、1つだけとさせてください。ご希望のものをお選びください」と伝えます。そうして要求レベルを下げるよう交渉できます。

合意しながら営業ストーリーを進める

もう1つの営業テクニックが契約行為です。契約というと契約書を交わす約束事のように思うかもしれませんが、**ロジカルセールスでは「相手と合意を取ってから進める」ことを指します。**展示会来場者からアポを取る詳細ストーリーの中でこのテクニックを使っています。

> y-3. 今、電話でやり取りする時間があるかどうかを確認する

「まだ電話を続けても大丈夫ですね」と相手に合意を取ってから、説明を進めるわけです。

単純ですが、こうした細かい契約行為の効果は絶大です。ざっと挙げるだけでも、ストーリーを確実に進めることができる、相手と対等、あるいは相手より優位な立場で折衝できる、信頼を獲得できる——といった効果があります。

しかも様々な場面で応用できます。例えば、「今期中の導入をご検討いただいているのであれば、商品説明のため訪問します」などと相手の

意思を確認して合意を取れば、今期中の導入を前提に訪問できます。

リアルな訪問だけでなく、Webミーティングもアポ取りに含められます。アポ取りの営業ストーリーの選択肢に追加して、自社で決めた優先順位に従って案内すればいいのです。リアルかWebかの選択は、商品やサービスの内容で変わりますし、移動時間や工数とのトレードオフになるので、それらを考慮して対応します。

ただし、可能な限りリアルな訪問をお勧めします。前述したように、リアルな訪問のほうが伝えられる情報量が多いうえに、様々な営業テクニックによる印象付けや情報収集も容易で、より短期間でより高い受注率につながりやすいからです。

訪問の営業ストーリーは3ステップ

商談の2大アクションの1つであるアポ取りに成功したら、次はユーザーへの訪問です。**初回訪問は「商品・サービスの導入意思を確認し、合意を得る」ことが目的であり、その実現に向けた営業ストーリーが大切になります。**

初回訪問時の営業ストーリーは「1：環境を準備する」「2：価値を提供し、相手のニーズを把握する」「3：導入意思を確認する」、の3ステップで考えるといいでしょう。

初回訪問時の営業ストーリー

1：環境を準備する

1-1：挨拶と名刺交換

1-2：訪問趣旨の説明と確認

1-3：訪問内容の説明と実施内容の選択

2：価値を提供し、相手のニーズを把握する

2-1：会社説明

2-2：ユーザー状況の確認

2-3：商品説明（価値および実現する成果）

3：導入意思を確認する

3-1：商品の価値でユーザーの成果向上が実現できるかの確認

3-2：導入意思および課題の確認

3-3：次のアクションの確認

主な項目を説明します。まず「1:環境を準備する」です。詳細ストーリーの1-2と1-3で、どのような営業テクニックを用いるのかを含めて見ていきます。

使う営業テクニックは2つです。1つは既に説明した契約行為です。相手と合意を取りながら話を進めます。もう1つは「セットでの確認」です。相手に「同意してもらいたいこと」の前後に、相手が同意しやすいフレーズを入れるやり方です。これで、同意してもらいたいことにイエスと言ってもらいやすくします。

訪問の目標は、ユーザーが検討している内容と自社商品が一致しているか確認・合意を取ることです。具体的には、以下のように話を切り出します。ここでは、アポ取り時に約束した内容（「弊社商品を紹介」）を実施することを伝えます。契約を履行すると宣言しているのです。

営業：お電話でやり取りしたように、ＸＸＸシステムの導入を検討されているＸＸ工業様に、弊社商品を紹介するために伺いました。（A）

その後、訪問の最終目標（検討中の内容が商品と合致しているか）を相手と合意します。これは契約行為です。

営業：弊社商品の詳細を説明しますので、貴社でご検討の内容に弊社商品が合うかどうかの確認をお願いします。(B)

堅苦しくない言い方で、質問を促します。

営業：説明途中でも結構ですので、ご質問がありましたら遠慮なくおっしゃってください。よろしいでしょうか？ (C)

ここではセットでの確認の営業テクニックを使っています。最初に（A）で、「弊社商品を紹介するために伺いました」と契約の履行を宣言しており、最後の質問（C）で同意を促しています。この2つのフレーズはどちらも相手からの同意を引き出しやすい内容です。（A）や（C）の内容で異論を唱える相手はまずいないでしょう。

ポイントは同意を引き出しやすい（A）や（C）の間に、（B）の「貴社でご検討の内容に弊社商品が合うかどうかの確認をお願いします」を

お電話でやり取りしたように、XXXシステムの導入を検討されているXX工業様に、弊社商品を紹介するために伺いました。	アポ取り時に約束した内容を実施することを伝える（同意しやすい内容）
弊社商品の詳細を説明しますので、貴社でご検討の内容に弊社商品が合うかどうかの確認をお願いします。	今回の最終目標（同意してもらいたい内容）
説明途中でも結構ですので、ご質問がありましたら遠慮なくおっしゃってください。よろしいでしょうか？	堅苦しくない言い方で質問を打診（同意しやすい内容）

図●「訪問趣旨の説明と確認」の会話例
同意しやすい内容を入れて「イエス」を引き出す

挟んでいる点です。

（B）が同意してもらいたい内容です。こちらからの問いかけは最後の「よろしいでしょうか？」なので、相手がイエスと言えば（A）（B）（C）全ての内容に同意を得たことになります。こうして（B）の内容にも同意してもらいやすくしているのです。

もちろん、こうした営業ストーリーと営業テクニックを駆使しても常に相手から合意を得られるとは限りません。「すぐには判断できないので、今日はいったん話を聞くだけにさせてください」と切り返されるケースもあるでしょう。

それでもいいのです。営業テクニックは1つだけではありません。複数を組み合わせて受注の確度を上げていけばいいのです。

同意を取れなくても心配無用

先ほどまでのやり取りで、説明を聞いた相手が「分かりました」と同意したとします。これで、初回訪問の目的である「導入意思の確認・合意」へ大きく近づきます。「自社で検討している内容にその商品が合うかどうかの確認」をすると約束した、つまり契約したことになるからです。

契約の内容は、訪問の中で繰り返し確認を取ります。そうして最後に契約に基づいて、（相手の会社で）検討した内容に商品・サービスが合っているかどうかを回答してもらう流れとなります。

最後になって相手が「自社の検討内容に合っているかどうかを判断できない」と回答するケースもあります。それでも慌てる必要はありません。営業側が優位な立場にあるからです。「えっ、お打ち合わせの最後に判断いただけるという話でしたが…。では、いつになったら判断いただけるのか教えてください。不足している情報があれば、すぐに用意いたします」といった言葉で、次の契約行為につなげばいいのです。

目次を見せる

訪問の趣旨説明と確認が終わりました。受注の確度を高めるため、もう一手間加えます。続く話の流れをユーザーに選ばせるのです。これが「目次の提示」のテクニックです。

全体の進め方を説明されると、「次に何を聞かされるのか。そのために何に注意すべきなのか」を把握できるようになります。本でいえば、目次を先に見せているようなものです。先に全体の流れを示すことで、「この営業担当者は、内容の理解をより深めるように促してくれているな」と思ってもらえます。

例えば、以下のように説明します。

営業：本題に入る前に、本日の進め方をご説明します。まず弊社の会社概要を説明します。それから、貴社がご希望されている内容を簡単に伺います。そのうえで、ご要望を意識しながら、商品を説明します。

図●「訪問内容の説明と実施内容の選択」を盛り込んだ会話例
相手の意に沿った進め方を印象付ける

最後に、弊社商品が貴社のご要望に合うかどうかを確認しますので、問題がなければ今後の導入スケジュールを確認させてください。

以上、過不足があったり、説明の順番にご希望があったりしましたら、遠慮なくおっしゃってください。

さらに会話の順序を相手が選べるようにすれば、「私の意に沿った進め方をしようとしているな」という印象が強くなります。

相手から信頼を得る

なぜこんなに丁寧な前置きが必要なのか、と疑問に思う人がいるかもしれません。理由は、相手から信頼を得るためです。

営業ではユーザーからの信頼を得ることが重要です。なぜ信頼を得なければいけないのか。営業担当者の説明を正しいと受け取ってもらうためです。

営業担当者が信頼を得ていないと、説明を正しいと信じてもらうために工数と時間がかかります。他社商品と比較したり、自社商品が優れている理由を詳細に提示したりしなければなりません。信頼を得ていれば、工数を削減できるだけでなく、受注率も向上します。

単に「私を信頼してください」と言うだけで、信頼は得られません。信頼を得るアクションを積み重ねる必要があります。「訪問内容の説明と実施内容の選択」は積み重ねの一歩です。

もちろん、全てが筋書き通りに進むとは限りません。きちんと説明し、選択肢を与えて合意を取ったとしても、必ずしも相手から信頼されるわけではないのです。

ですが、それが営業です。既に説明したように、営業の仕事は確率論の世界です。受注に影響する複数の要素を適切に組み合わせて、受注の確度を高める姿勢が大切になります。

ほかにも覚えておきたい営業テクニックをまとめて紹介します。

有用な7つの営業テクニック

1. 集中

価値（機能や特徴）をたくさん説明するのではなく、成果向上につながる数点に絞って説明します。絞り込むことで伝えたことの印象が深くなります。

2. 空白

説明の途中で間（ま）を置いてから重要な部分を説明する営業テクニックです。注意を引き付ける効果があります。大人数の際は、強調したい部分の直前で間を置きます。全員の顔を眺めてから、印象付けたい内容を話し始めるようにします。少人数の場合はテンポが悪くなるので、忘れたふりをしたり、考えているふりをしたりするといいでしょう。

3. 想像喚起

利用シーンを併せて説明し、具体的なイメージを持ってもらう営業テクニックです。例えば「生産スケジュールの精度が上がる」という利点と一緒に、次のように説明します。「営業さんからクレームが上がってきて、生産遅延のおわびの書面をお客さまに書かれたそうですね。この商品を使えば、生産スケジュールの精度が上がるので、もうおわびを書かなくて済みますよ」。

4. 背景・経緯

「品質」「レスポンス」などの価値は言葉で説明しても納得感が薄いものです。こうした価値に背景や経緯を付け加えます。「弊社商品は高品質で、安心してご利用いただけます」に加え、「商品開発とテストには○○手法を取り入れており、ほかの開発会社が視察に来るほどです」などと説明します。

5. 陰影

悪い点を説明して良い点を強調する営業テクニックで、例えば「弊社商品はこの点については他社より劣っています。しかしこの点では、他社のどの商品にも引けを取りません。この機能（特徴）が重要であれば、ぜひ弊社商品をお選びください」という言い方です。どの商品にも一長一短があるのは当然で、相手も分かっています。悪い点を説明すると信頼獲得につながります。

6. 緊張

「これから説明する内容が本商品の機能では最も重要です。しっかりお聞きください！」などと始め、あえて場の緊張感を高める営業テクニックです。印象付けの効果は高いですが、多用は禁物。1回の訪問で基本的に1度しか使えないと考えてください。

7. 弛緩（しかん）

発注の確度や競合他社の検討状況など、相手に確認しにくい質問をするときに有効です。場の空気を和らげます。やり方は簡単で、要するに「笑い」を取りにいくのです。最初から最後まで淡々と説明していると、場の雰囲気が停滞し、相手の思考も止まって、商品の価値の印象付けが難しくなります。営業折衝に慣れてきたタイミングで弛緩を試してみましょう。必須の営業テクニックだと分かるはずです。

会社説明に間接価値をちりばめる

続いて「2：価値を提供し、相手のニーズを把握する」に入ります。相手に提供する価値には直接価値と間接価値の2種類があると述べました（第3章参照）。ここでは、会社説明に代表される間接価値にフォーカスします。

誰もが知るような大手企業ならともかく、多くのIT企業の知名度は高くありません。会社説明は、ユーザーへ訴求するために腕を振るう重要な機会なのです。どんな会社も間接価値の宝庫であり、必要に応じてそこから宝を取り出して、会社説明にちりばめます。

以下に挙げた会社所在地、創業年数、従業員数、資本関係、取扱商品、取引企業の6項目を例に、自身の会社の間接価値をユーザーにアピールします。ユーザーにとってメリットを示すのが大事です。

会社説明に使える間接価値の例

会社所在地

拠点が複数あれば「最寄りの拠点から、機敏に対応できます」と言えます。拠点がユーザー企業に近い場合は「何かあった場合はすぐに伺います」とアピールできます。

創業年数

もし長ければ「IT業界の老舗です。ご安心ください」と言えるでしょう。短ければ「新しい会社でアグレッシブに事業展開しています」と前向きに説明します。

従業員数

中規模以上ならば、「潤沢なスタッフを擁していますので組織で対応可能です」と言います。小規模ならば「少数精鋭で優れたシステムを提供しています」と説明すればいいでしょう。

資本関係

大手資本の傘下ならば、「盤石な基盤の上で事業を展開しています」と説明します。独立系ならば「中立の立場で良いものを提供できます」と異なる価値を掲げましょう。

取扱商品

これから営業する商品やサービスを、会社説明資料の上のほうに記載しましょう。主力商品だと思わせるためです。

取引企業

既に導入しているユーザーを前のほうに記載しましょう。取引企業を説明する際に、その商品の導入企業だと話すのです。これから説明するものが自社の主力商品のように印象付けられます。

もともとの会社概要の資料に取扱商品や取引企業の情報がない場合は、個別につくってください。この2つの項目は商品やサービスに応じた内容にします。

実際の会社説明の例を挙げます。どのような順番で何を説明しているのか、どのような営業テクニックを使用し相手に印象付けるのか、を考えながら読み進めてください。

営業：弊社は2004年の設立で、今年で創立19年目となります。短いようにお感じになるかもしれませんが、IT業界で10年以上となると、実は老舗の部類に入ります。

取引先をご覧いただくとお分かりかと思いますが、おかげさまで大手企業との取引も多くなり、安定した事業基盤を持っています。

社員は200人で、規模は決して大きくはありません。しかし、開発のスペシャリストが多く、中にはIT系の雑誌やネット媒体に記事を寄稿しているスタッフもおります。
弊社の商品は複数ありますが、その中でも今回ご紹介するＸＸＸのシステムは弊社の看板商品です。多くのお客さまの意見を取り入れ、練り込まれた商品となっています。
大手企業や、他社の商材を販売している企業の場合、万が一不具合が発生したときの対応が遅くなるケースがあるようです。弊社は全ての商品を自社で開発しております。万が一不具合が発生しても迅速に対応できますのでご安心ください。
会社説明は以上となります。質問はございませんでしょうか？

説明の中で、様々な間接価値を訴えているのがお分かりでしょうか。初回訪問時には、ぜひ間接価値を組み込んだ会社説明をしてください。

商品機能や特徴を絞って説明

会社説明が終わったら、「2-2：ユーザー状況の確認」に臨みます。ここでユーザーに、課題や求めている成果は何か、それに対するソリューションの検討状況がどうかを聞きます。検討しているようなら導入時期と予算の情報も確認します。具体的な確認方法は第5章で詳述します。
その次に、「2-3：商品説明（価値および実現する成果）」に入ります。ここでの目的は「導入を判断してもらうための価値と実現する成果」の理解です。具体的な説明やデモンストレーションに関係する詳細ストーリーは商品やサービスによって異なるので、どんな場合でも共通する考え方と営業テクニックを中心に説明します。
ここで有用な営業テクニックは、「集中」になります。大抵の商品やサービスは、「機能が豊富」「ほかの商品には無い機能を持つ」「価格が安い」「使いやすい」「メンテナンスしやすい」「最新技術を採用している」といった、複数の機能や特徴を持っているものです。

それぞれの機能や特徴には価値があります。その価値を相手によって効果的に出し分けます。営業担当者は「全ての機能や特徴について説明したい」と考えがちですが、これは間違いです。第3章でも書きましたが、あれもこれも説明していくと、情報量が多すぎて個々の機能や特徴の内容が伝わりづらくなり、ユーザーに導入を動機付ける力が弱くなります。

筆者には苦い経験があります。自社開発のパッケージソフト事業を立ち上げていた頃です。パッケージをバージョンアップするに従って、説明したいと思う機能が増えていきました。

自社開発の商品だったので、追加されたどの機能にも思い入れがありました。追加した機能の良さを資料で詳細に説明していたら、いつの間にか分厚い資料をユーザーに示すようになっていました。

資料が厚くなるにつれ、受注率は低下していきました。機能は増え、商品としては以前より充実しているはずなのに、受注は減っている。どこに原因があるかを調査・分析した結果、説明が増えて資料が厚くなったので「ユーザーに伝えるべき商品の価値」がかえって伝わりにくくなっていたことが分かったのです。

考えた末に、資料を「概要資料」と「詳細資料」の2つに分けました。概要資料にはユーザーに強く訴えたい成果につながる機能だけを載せ、詳細資料に全ての機能を列記する形にしたのです。概要資料に直接価値を記載し、詳細資料で「機能の数が多い」という間接価値を伝えることにしたわけです。この施策で受注率は向上しました。

商品説明の流れ

- ターゲットユーザーにPRすべき価値として、直接価値と間接価値をそれぞれ洗い出す
- 説明やデモンストレーションの営業ストーリーを作成し、その

中でどのように価値を盛り込むのかを決める
・価値を印象付けるために使う営業テクニックを決める

商品説明に役立つ5つの間接価値

商品を説明する際に意識すべき間接価値はまだあります。多くの企業に共通する5つの間接価値を説明します。

1つ目は導入事例です。「大手企業が導入している」「当社と同じ業態の企業が利用している」――。こうした事例がユーザーに安心感を与えます。他社が効果を上げているからといって、同じようにうまくいくとは限りませんが、それでも導入事例を挙げるのは効果的です。

やみくもに紹介すればいいわけではありません。紹介する社数を絞り込む工夫が大切です。多くの企業が使っているのであれば、「A業界ではX社をはじめ○社（例えば30社以上）が導入している」といったように、シェアや導入社数を添えて説明すればいいのです。

2つ目はメディアへの掲載実績で、「（新聞、雑誌、オンライン媒体など）の特集で最も評価の高い商品として取り上げられました」などと伝えます。商品が第三者の評価を得ていると印象付けられます。ただし、広告ではなく編集記事でなければ効果がありません。

3つ目は事業継続年数です。競合他社と比べて事業継続年数が長い場合、それをアピールします。商品が多くのユーザーから支持されている点に加え、「きちんとサポートしてくれる」という安心感を与えます。

4つ目は開発体制や開発手法です。商品の品質などの直接価値を訴えにくい場合でも、開発体制や開発手法に特徴があれば、間接価値として訴求できます。

5つ目はスタッフです。関係する営業や開発スタッフに何らかのアピールできる要素があれば強調しましょう。例えば「開発業界で著名な人材が開発リーダーを務めている」といった話ができれば、商品の価値を高められます。

詳細ストーリーを決める際は、複数の案を作成し、優先順位を付けます。営業ストーリーづくりの流れと基本的には同じです。

導入意思を確認する

会社説明とユーザー状況の確認、そして商品説明が終わったら、訪問を締めくくる「3：導入意思を確認する」に臨みます。このアクションまで至らないと、導入に向けて検討を進めると相手に確約してもらえません。導入意思の確認は、非常に重要なアクションですので、第5章で進め方の詳細を紹介します。

導入意思の確認といっても、いきなり「導入に向けて検討を進めていただけますか？」と打診したら相手は引くだけです。

まずは、商品やサービスの価値と実現する成果が、ユーザーの望むものかどうかを確認しましょう。ここでは、求める成果と商品の価値、実現する成果がおおむね要望に合致しているかどうかを確認すれば十分です。ユーザーの要望と100％合致していればいいのですが、そんなことはほとんどありません。

ユーザーが期待する成果獲得につながる情報を収集したり確認したりしたら、それらを踏まえたうえで提案のスケジュールを最後にユーザーと確認します。

「提案」に関わる営業ストーリー

導入の検討で合意したユーザーには、実際にその商品やサービスで成果が上がることを確認し、発注に向けて動くと確約してもらわなくてはなりません。それが提案に関わる営業ストーリーの目的です。

提案に関わる営業ストーリーは、商品やサービスの内容で変わります。パッケージやSaaSの場合は、価値と得られる成果の組み合わせがある程度までパターン化できるので、比較的シンプルな営業ストーリーになります。商談に関わる営業ストーリーの中で成果の実現まで確認できれば、この段階で、ターゲットユーザーが発注に向けた対応を確約することもあります。

現実にはそこまで至ることは少なく、個々のユーザーにヒアリングを行い、提案内容を修正してそのユーザーが成果向上を見込めると確認できる資料を作成し、提示するケースが大半です。これを確認したうえで、ユーザーに発注手続きを進めることを確約してもらうのです。

個別のSI開発提案は見極めが難しい

個別開発のSI提案では様相は一変します。

パッケージやSaaSは既にある機能をベースに提案しますが、SIの営業は要件に応じて開発するので、提案の範囲が広くなります。ユーザーに提示する提案内容はひな型のようなものであり、営業折衝を通じて、ユーザーの求める成果向上につながる提案へとブラッシュアップします。何がユーザーの成果向上につながるかの仮説に固執する必要はありません。

さらにSI提案はユーザーの業務に踏み込んだ内容になる場合が多く、確認に時間と工数を要します。発注手続きの確約までに時間がかかることも珍しくありません。PoC（概念実証）として一部を先行させ、検証したうえで全体の開発に入ることもあります。この見極めは難しく、提案のプロセスの間にPoCを提案できるように営業ストーリーを設定するなどして、あらかじめ対策を講じます。

「受注」に関わる営業ストーリー

いよいよ営業プロセスの最終段階である「受注」に関わる営業ストーリーです。何度も強調してきたように、営業の成果は受注です。どうすれば受注できるでしょうか。

「商品を説明するのは得意ですが、受注の話が苦手です。『注文ください』とはなかなか言いにくいです…」。こう悩む営業担当者は、商品説明などの折衝と受注を別物と考えているようです。筆者も昔はそうでしたが、折衝と受注を異なるものとして捉えていいことはありません。以下のような消耗戦に陥る可能性が高いのです。

受注を意識しないと工数が増える

- 商品を説明する
- ユーザーから質問があれば回答する
- 見積書が必要か確認して、必要であれば提示する
- 見積書を提示した後で初めて、受注を意識した折衝を開始する
- 質疑応答や金額調整の話が延々と続き、受注に至らない
  (2番目に戻り、以降を繰り返す)

折衝と受注は別物ではありません。営業折衝の結果として受注があるのです。消耗戦に陥らないよう、受注を目的とした営業ストーリーをつくります。

発注条件のクリアが大前提

ロジカルセールスで営業折衝を進めていれば、初期段階でユーザーに

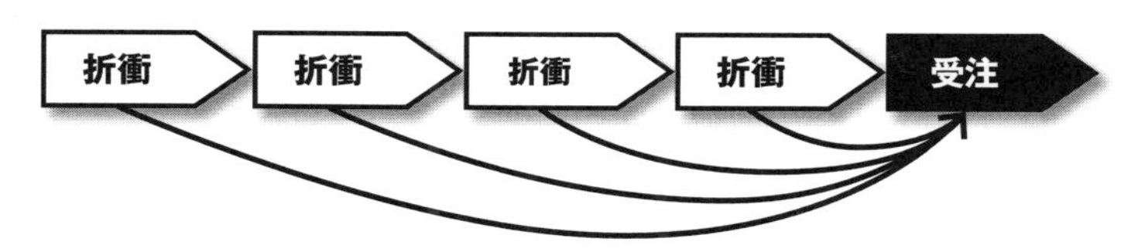

図●受注を意識した折衝の進め方
折衝中は常に受注を意識

商品の導入意思を確認しているはずです。しかし、導入の意思があるからといって実際に発注するとは限りません。導入の意思と発注との間にはギャップがあります。ギャップを生む要因は以下のようなものです。

導入の意思があっても発注に至らないギャップの要因
- ・予算を確保できていない
- ・決裁権者から導入の合意を取れていない
- ・社内の根回し（関係部署キーパーソンからの導入の合意）が十分でない
- ・購買部門への確認（値引きや取引条件の確認）が取れていない

ほかにもギャップがあるかもしれません。実際にはこのようにユーザーに確認します。

営業：弊社の商品をご評価いただき、ありがとうございます。つきましては、実際のご発注のために、いつまでにどのような条件がそろえばよろしいでしょうか。条件をクリアするために全力で支援しますので、遠慮なく条件をおっしゃってください。

商品の導入意思のあるユーザーに対し、実際に発注してもらうための条件や課題（＝ギャップ）を、スケジュールを区切ってクリアする。これが受注の進め方です。

ギャップの中には､営業折衝の初期段階で確認すべきものもあります。予算確保はその1つです。

「予算がない」「予算をこれから取得する」といった案件は、いくら営業折衝しても短期での受注は望めません。営業折衝を重ねた結果、「やはり予算を取得できなかった」というのは、自分たちだけでなく相手にとっても時間の無駄です。

予算の有無のように、受注に大きく影響したりスケジュールの調整が難しかったりするギャップは、初期段階で確認し、内容に応じて営業ストーリーを切り替えながら営業折衝する姿勢が大切です。

ギャップをクリアし、発注のハードルを超えるため、本来はユーザーが実施すべきアクションを営業側が肩代わりする場合もあります。例えば「決裁権者へのプレゼンテーションの場を設ける」「社内説明用の資料作成を手伝う」といったものです。前者は決裁権者の合意を取り付け

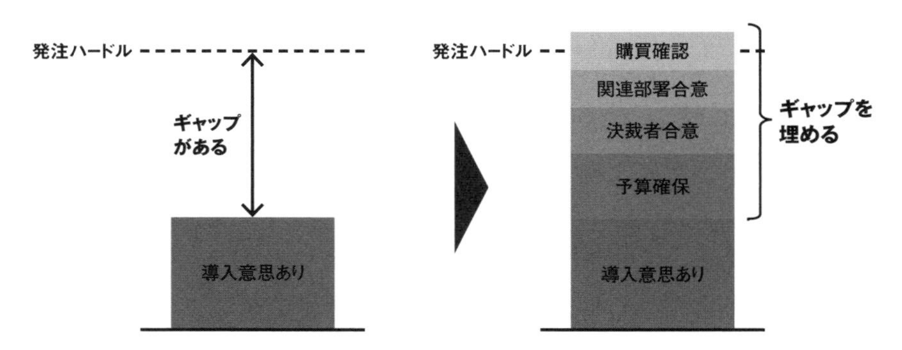

図●「発注」の構造
発注までに埋めるべきギャップを認識する

るために、後者は社内への根回しを進めるために有効です。

こうした場合もスケジュールを区切り、期日までに必ず履行します。ギャップがクリアされておらず、発注条件も整っていないタイミングで「発注してください」と言っても意味がありません。

全ての条件が整ったら、受注の約束期日の少し前に連絡して、「来週、ご発注いただける予定ですが…」と切り出します。

ユーザーに発注を促す具体的な文言は以下のようなものです。

営業：発注の手続き状況を確認するため、連絡しています。先日の訪問時に決裁を回していただいており、来週早々には完了されると伺いました。予定通り、来週早々に決裁は通りそうでしょうか？弊社としては、来週前半に決裁が完了されれば、来週中にご発注を承れると考えています。多忙の折恐縮ですが、来週末にはご発注くださいますよう、お手続きをお願いします。

ご発注後、弊社にて直ちに手配を進め、来月より弊社商品を利用いただけるように準備を進めておきます。

前回の訪問までに合意した約束（契約）である決裁の完了時期を確認し、発注の時期を次の約束（契約）として取り付ける。その繰り返しでいいのです。営業ストーリーの中で受注は進むものであり、突然「発注してください」と言うものではありません。

滞りなく発注手続きを進めると、ユーザーにとってもメリットがあります。早く商品やサービスを使えるようになれば、それだけ早く導入効果が得られるからです。

自社はもちろん、ユーザーの社内手続きもスムーズに進めてもらうように依頼しましょう。メリットをユーザーが理解すれば、発注手続きを早く進めやすくなります。

短期と中長期の商談

ユーザーに購入する意思はあるようだ。しかし、すぐに購入する雰囲気はなく、時間がかかりそうだ——。実際の営業では、このようなケースは珍しくありません。「今期は予算が取れない」「使用中のシステムの償却が終わっていない」など、理由は様々です。

営業を担当するあなたは、どのような手を打つべきでしょうか。早期導入を促す、というのは1つの手です。「新システムを導入するとこれだけの効果が見込めます。特別予算を計上してでも、早期に導入するとメリットがあると思うのですが、いかがでしょうか」といった伝え方もあります。

ただ、こう話してもうまくいくとは限りません。どう説明しても早期導入は難しい、という場合が多いでしょう。

受注するために営業折衝しているのですから、いつ発注してもらえるかは常に意識します。短期間で受注できないと分かった場合は、受注までにそれなりの期間を要する中長期商談に切り替え、営業に臨みます。

短期商談と中長期商談は異なる

短期商談と中長期商談で営業の進め方は異なります。

短期商談では、ユーザーと密にやり取りする折衝が中心になります。ユーザーにできるだけ早く発注してもらうために、最適な営業ストーリーと様々な営業テクニックを駆使する必要があります。

これに対し、中長期商談で中心となるのは、ユーザーへのフォローです。短期商談のように、密にやり取りしたり、押したりする必要はありません。

短期商談と中長期商談でアクションが異なるのは、目的が違うからです。**短期商談の目的は受注です。一方、中長期商談の目的は、発注のタ**

イミングの把握やコントロールとなります。発注のタイミングの把握とは、受注に向けた営業折衝のタイミングの見極めということです。

先ほど、商談が中長期化する理由として「今期は予算が取れない」「使用中のシステムの償却が終わっていない」などを挙げました。前者なら「来期予算を検討する」、後者なら「システムの償却が終了する」がタイミングとなります。こうしたタイミングを逃さずに、中長期商談から短期商談に切り替え、クロージングに向けた活動を展開するわけです。

中長期商談も攻めの姿勢が大切

タイミングを把握しているとはいえ、「そのときが来たら連絡すればいい」と単純に捉えるのは禁物です。発注のタイミングは変化するからです。

「今期は予算が取れない」と言っていた企業の業績が好転し、今期内のシステム投資が可能になるケースがあり得ます。競合会社が営業攻勢をかけて、ユーザーが早期導入に傾くかもしれません。そうなると「そろそろ打診するときだ」と思ってユーザーに連絡しても、「もう他社のシステムを導入することに決めた」と言われかねません。

実際によくある話であり、筆者も過去に何回か経験しています。発注のタイミングは変化する。こうした前提で営業ストーリーをつくり、アクションを進める必要があります。

有効なのは、**中長期商談でのフォローを攻めの姿勢で働きかけることです。タイミングの変化を待つのでなく、自らタイミングを変えていく**わけです。

例えば、「ユーザーと同じ業種や業界の事例を提供する」「導入メリットを具体的に訴求する資料を提供する」「経営者やキーパーソン向けのセミナーを案内する」といった働きかけです。狙いは中長期商談を短期商談に切り替えることであり、発注のタイミングのコントロールといえます。

営業ストーリーの組み立て方は、まずはこの章で紹介したように進めてください。手順が分かれば、成果が上がるように自分なりにアレンジします。

最後に、営業ストーリーに関する注意事項を補足しておきます。営業ストーリーをつくる際には、**時間軸と数値軸を意識した目標を設定することです**。「展示会の来場者50人に電話し、10人と電話でやり取りし、5人への訪問を取り付ける。これを1週間で行い、来週のアポを入れる」といった具合です。

そのうえで結果を検証します。時間と数値の結果が目標から乖離（かいり）した場合にはどの部分（仮説）が適切ではなかったのか、何が原因だったのかを検証し、営業ストーリーを修正します。場合によっては目標を変更します。PDCAサイクルを回すことが重要です。

アポ取り1つを取っても「今回はこのストーリーでこんなテクニックを入れてみよう」など、様々な組み合わせを考えながら進めると、苦痛などは感じなくなり、むしろ楽しくなることでしょう。

第5章

仮想商談でロジカル営業を学ぶ

ロジカルセールスでの営業の進め方を具体的に紹介します。ここまで説明した内容を踏まえ、商談の現場を仮想体験します。ターゲットユーザーに向けて営業ストーリーを設定し、実際にアポを取って訪問するまでを、理由を説明しながらシミュレーションします。

ユーザーの絞り込みと得られる成果を決める

ターゲットユーザーを展示会来場者に定める

営業は手当たり次第にアプローチをかけるものではありません。ターゲットユーザーに狙いを定め、目標を立てて営業ストーリーを設定した後で、初めて接触を試みます。以下の仮想商談を自分が営業担当者になったつもりで、読み進めてください。必ずステップアップにつながります。

1年間で4社の受注が目標

あなたはIT企業「クロステックシステム開発」の営業担当者です。

クロステックシステム開発は3年前に、受託開発のノウハウをベースにしたクラウドサービスを発売しました。卸売業をターゲットにした販売管理クラウドです。導入実績は3年間で5社。ユーザーからの評判は高いのですが、事業は過去3年間ずっと赤字です。

9社の契約で黒字転換できると試算しているため、当面の目標は、1年間で4社の受注です。営業担当者はあなたを含めて4人。全員が元開発担当者です。客先での常駐や受託開発と、クラウドの営業を兼務しています。

会社概要

社名：クロステックシステム開発株式会社

創業：1989年（平成元年）

従業員数：200人
年間売上高：23億円
事業所：東京本社、大阪支社

事業概要

事業構成：客先常駐60%、受託開発30%、そのほか10%
直間比率：下請け90%、直販10%
対象商材：卸売業向け販売管理クラウド

営業活動をするには、最初の営業プロセスである認知の段階として、クロステックシステム開発の販売管理クラウドのことを多くの人に知ってもらう必要があります。複数のアクションを検討した結果、有効性が高いとして展示会を選択し、ある展示会に出展しました。その結果、ブースへの来場者80人のリストを取得できました。

企業向けITの販売、特に直販営業の場合は、Webサイトを活用してリードを獲得する方法が一般的です。しかし、展示会に出展して得られた来場者リストも十分に価値があります。まず来場者リストにアプローチをかけましょう。

目標は、この80人に電話をかけてアポを取ることです。ここで焦ってはいけません。営業ストーリーを組み立てる必要があります。そのために、ターゲットユーザーを決めましょう。

クラウド事業の狙いは当初「卸売業向けの複数の受託開発を通じて蓄積したノウハウを生かし、卸売業向け販売管理クラウドを開発・販売する」というものでしたが、ターゲットユーザーが明確ではありません。

ターゲットを定めるにはどうすればいいでしょうか。幸い、既にクラウドを導入した企業が5社あります。まずは既存ユーザーを調べるのが有効です。どんな会社が導入しているのか。商品のどのような点を評価しているのか。これらを調べるため、ヒアリング（調査）と既存ユーザーのプロファイリング（分析）をします。

同時に事例として公開する許諾をヒアリング時に依頼します。公開OKであれば、新規ユーザーにアピールする間接価値となり、アポイントメントを取る際のストーリーに生かせます。

ヒアリング結果にヒントがある

あなたが既存ユーザーに連絡すると、5社全てがヒアリングを快諾してくれました。いずれも従業員数が100～200人、年商が100億円前後の企業です。業種は4社が機械関連、1社が電気部材の卸業です。本社は全て関東地区にあります。

ヒアリングでは以下のような意見を聞けました。

・営業事務スタッフの残業が減った（5社）
・転記ミスや事務ミスによる請求書の再発行がなくなった（5社）
・営業担当者、技術担当者とも何かあればすぐに来てくれる（5社）
・売上集計機能で出力したリポートが売り上げ拡大につながった（4社）
・機能が多すぎず、シンプルで使いやすい（4社）
・不足している機能は若干のカスタマイズでカバーした（3社）
・カスタマイズが増えて、予算オーバーした（1社）

ヒアリング結果のうち、「売上集計機能で出力したリポートが売り上げ拡大につながった」については、想定していなかった内容であったため、回答した4社に再度詳細なヒアリングを行いました。

というのも、売上集計機能は当初から売り物にしようと考えていたわけではなく、開発技術者の「せっかくデータがあるんだから、どんな商品がいつ売れているのか、どの営業が売っているのかなどが分かれば、次のアクションに生かせるんじゃないかな」というアイデアでリリース直前に加えたものだったからです。以下の意見が聞けました。

・ある営業担当者が特定商品をたくさん売っていることが分かった。その売り方をほかの営業に共有したところ、全体の売り上げが伸びた
・主力の商品カテゴリーの中で、ある商品の売り上げだけが落ち込んでいるのが分かった。その商品カテゴリー全体の売り上げは好調だったので今まで分からなかった。仕入れる商品を変更することで、さらに売り上げを伸ばせた
・営業事務担当者の受注エントリーの工数が減ったので、空いた時間に売上集計機能を使ってリポートを作成してもらい、営業活動に役立てている
・営業事務スタッフの定着率が悪かったが、売上増加に寄与していると分かり、自信がついた。その結果、定着率が上がった

このヒアリング結果は驚くべきものでした。

まさか売上集計機能が売り上げの増加に役立っているとは考えてもいなかったからです。しかも、販売管理クラウドの導入で営業事務担当者の工数に余裕ができ、その工数で売上集計機能を使っているため、追加の人件費もかかっていません。

そこで思い出したのがヒアリングした、ある社長のコメントです。

「営業事務スタッフは、単なる事務担当ではなく、貴重な営業メンバーの1人だと思っている」

クラウドの利用によって営業事務スタッフの業務範囲が広がり、データを活用することで売り上げが拡大したという点は、導入企業での成果としてPRできると確信しました。

追加のヒアリングも踏まえて、ターゲットユーザー、商品の価値、ユー

ザーが得られる成果を以下のように決めました。

ターゲットユーザー

- 従業員数100～199人
- 機械関連の卸売業
- 本社が関東地区

商品の価値

- 機能がシンプルで使いやすい
- 売上集計機能による売り上げの分析が可能
- 手厚いサポート

ユーザーが得られる成果

- 売り上げ拡大（売上集計機能による売上分析結果の活用）
- 労務費の削減（通常業務の事務工数やミス対応工数の削減）
- 利用部門からの信頼向上（事務ミスによる書類間違いの削減）
- 営業事務スタッフの定着率向上

ヒアリングを通じて、5社のうち2社から事例公開の承諾を得ることもできました。

ここまで準備できたところで、手元にある展示会来場者80人のリストを改めて眺めてみましょう。

ターゲットユーザーに設定した機械関連の卸売会社の来場者35人に狙いを絞ります。さらに既存ユーザーの1社が電気部材の卸業だったので、部材関連卸売会社の来場者15人を加え、合計50人をターゲットにしました。部材関連の卸売会社を加えた判断が良かったかどうかは、アポ取りと訪問の結果で検証します。

抽出した50人の所属企業を、さらに地域と企業規模別に分類します。すると、来場者のほとんどは従業員数100人以上の会社に所属していました。

一般に卸売業で企業数が多いのは従業員数100人未満の会社なので、「卸売業の中でクラウドの導入に意欲的なのは従業員数100人以上の企業」という仮説が成り立ちそうです。設定したターゲットユーザーの規模は「100～199人」なので、市場ニーズに適合している可能性が高そうです。

アポ取りの対象企業は、ターゲットユーザー通りなら「関東地区の従業員数100～199人の企業」に属する22社です。しかしこれでは対象社

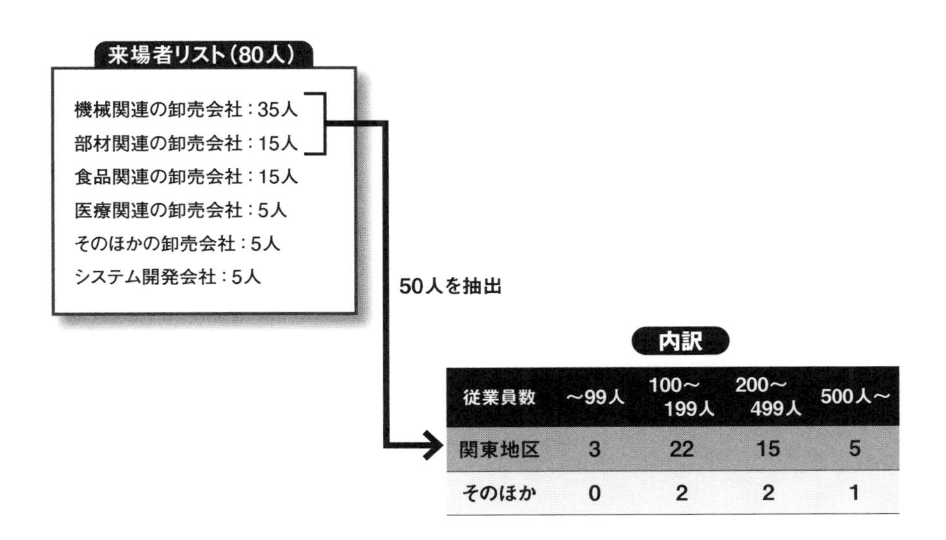

従業員数	～99人	100～199人	200～499人	500人～
関東地区	3	22	15	5
そのほか	0	2	2	1

図●ヒアリング結果を基にターゲット顧客を決める
地域と企業規模で絞る

数が少ないとあなたは思いました。
そこで社内の関係者と協議して「もう少し規模が大きくても業務がシンプルな企業ならば、この販売管理クラウドが適している可能性がある」という仮説を立て、ターゲットユーザーを「従業員数100～499人」の企業まで拡大しました。この場合、来場者リストの該当人数は37人です。この仮説が正しいかどうかもアポ取りや訪問の結果で検証します。

営業ストーリーを作成する

ターゲットが明確になったので、あなたは具体的な営業ストーリーづくりに入ります。アポをどのように取るのか、訪問した際にどんな話をするのか、商品をどのように説明するのか、などを詳細に組み立てていきます。

1つの営業ストーリーを組み立てれば終わりではありません。複数を作成し、比べながら最終的なストーリーを決定します。1つしかつくらないと、見落としが必ず生じます。複数のストーリーを作成しておけば様々な角度から考えられ、より良いストーリーを作成できるようになります。

また、複数の営業ストーリーがあれば、ストーリーを変更した際に素早く、適切に切り替えられるようになります。あるストーリーに従って営業活動を進めて、想定した結果が得られなくても、ゼロから別のストーリーを考えなくて済むのです。

このケースでは、以下のような営業ストーリーを考えました。以降、この内容を詳しく説明していきます。

今回組み立てた営業ストーリー

1. アポイントメント取得（興味）

2. 訪問（商談～提案）

環境を準備する

・挨拶と名刺交換
・訪問趣旨の説明と確認
・訪問内容の説明と実施内容の選択

価値を提供し、相手のニーズを把握する

・会社説明
・事例紹介（商品説明を含む）
・デモンストレーション（ユーザー状況の確認を含む）

導入意思を確認する

・ユーザー要望と自社商品の適合度、導入意思、および課題の確認
・次のアクションの確認（役員プレゼン）

3. 役員プレゼン（提案）

環境を準備する

・訪問趣旨の説明と確認

価値を提供し、相手のニーズを把握する

・会社説明（簡易版）
・商品および事例紹介
・成果の説明（売り上げの拡大）

導入意思を確認する

・導入の合意
・次のアクションの確認（業務チェックシート）

4. 受注

・発注条件の確認
・値引きの確認
・発注までのスケジュールの確認

アポイントメント取得を目指し、展示会来場者のうち絞り込んだ37人に電話（コール）します。仮に4分の1（25％）のアポが取れるとすると9人です。2倍の50％とすると18人。うまくいけば2週間程度で訪問完了できそうです。

コール対象者が100人の場合はどうでしょうか。人数が多ければいいというものではないのです。架電するだけでも大変です。うまく50％の割合でアポが取れると、50人も訪問しなくてはなりません。現実的には1週間ごとに20人架電し、アポが取れた人から順番に訪問するといった手順が必要です。しかし、展示会来場者へ1カ月もたってから電話するのはタイミングがいいとはいえません。

このような場合は、異なる営業ストーリーを設定する必要があります。例えばウェビナー形式の商品説明会を企画し、いったん実施します。100人のうち、そこへ参加し興味を示した人に絞って架電してアポを取るようにします。架電する際にはウェビナーで取得したアンケートの内容を確認し、架電内容を切り替えることで、アポ取得率の向上を促します。

こうした営業ストーリーは以下のように設定できます。

1. ターゲティングメールとアウトバウンドコール（興味）

・ウェビナー案内を展示会来場者にメールで送付

・適合度が高い来場者にはアウトバウンドコールでも案内

2. 商品説明と事例紹介ウェビナー（興味）

・アンケート取得

3. アウトバウンドコール（興味）

・アンケート内容を確認してコール内容を切り替え

4. 訪問（商談～提案）

（以下、95ページの2以降と同じ）

常に複数の営業ストーリーを設定し、どの営業ストーリーが最も適切かをそのときの状況で判断しましょう。

アポ取得率／導入合意率をあらかじめ決める

営業ストーリーを作成したら、スケジュールと目標値を設定します。今週中に37人にアポ取り（1社は2人で来場したので、計36社）。アポ取得率を50%と見込んで、半数の18社に来週から再来週にかけて訪問します。18社のうち、導入を検討するユーザーは3分の1の6社と設定しました。そのほかの12社は情報収集が目的だと見込んでいます。

1カ月以内に6社中2社に見積もりを提示（導入合意率33%）して、3カ月以内に1社から受注（受注率50%）と目標に定めました。

アポ取得率や導入合意率などをどう決めるかが気になるかもしれません。割合は関係者を集めて決めます。最初は感覚的な値でも構いません。後で結果を検証し、次回以降に精度を上げていけばいいのです。

確率の精度が高まると、売り上げ目標を達成するためにどれだけのリードを取得する必要があるかが試算できるようになります。

スケジュールと目標

今週：37人にアポ取り（1社は2人で来場したので、計36社）

来週～再来週：18社に訪問（アポ取得率50%、導入検討が6社、情報収集が12社）

1カ月以内：2社に見積もりを提示（導入合意率33%）

3カ月以内：1社から受注（受注率50%）

図●営業ストーリーに基づいたスケジュールと目標の例
36社にアポ取りして1社からの受注を目指す

アポイントメント取得
確度の高いユーザーを見極める

それでは、組み立てた営業ストーリーに沿ってアクションをかけていきます。最初は展示会の来場者に対して、アポイントメント取得の電話です。実際のやり取りは次のようになるでしょう。

営業：突然お電話させていただき失礼します。クロステックシステム開発の○○と申します。A様（相手の個人名）でしょうか。

顧客：はい、そうです。

営業：先日開催されました展示会で弊社ブースにお立ち寄りいただき、ありがとうございました。

相手の心理的ガードを低くする

まず自分が何者で、誰に対して電話をしているのかを説明します。本来ならば「展示会で弊社ブースにお越しいただき、お名刺を頂いた方にお電話しております」と話すべきですが、説明が長くなり、心理的なガードも高くなる恐れがあります。

ここでは、展示会で当社のブースに立ち寄ってくれたお礼を述べることで、説明と来場のお礼を同時に伝え、先方の心理的なガードを低くする効果を期待しています。

営業：展示会では、卸売業向け販売管理クラウドを展示しておりました。ご記憶はございますでしょうか？

顧客：そういえば、あったような…

営業：覚えていてくださり、ありがとうございます。

ターゲットユーザーが少しでも商品を覚えていたら、ラッキーと考えるべきです。ここでもお礼を伝えてユーザーとの心理的なつながりを強め、アポを取得する可能性を高めます。

相手が覚えてなくても問題ありません。その場合は「変な質問をしてしまい、失礼しました。多くの展示ブースを回られたのでしょうから、当然ですよね」と、さらっと流せば大丈夫です。

あるいは、一歩踏み込んで「失礼しました。弊社のスタッフは説明ベタが多くてお恥ずかしい限りです」と少し笑いを誘いながらおわびし、この後の会社説明での間接価値のアピールにつなぐ前振りをするのもいいでしょう。さらに会話を進めます。

営業：ご連絡を差し上げたのは、弊社の卸売業向け販売管理クラウドの導入事例が出来上がりましたので、そのご案内ができればと考えたからです。事例に登場しているのは、埼玉県にある機械関連卸売会社の総合機械産業様です。どのような困りごとがあったのか、導入を考えるに至ったいきさつ、さらに導入して良かった点や悪かった点を、赤裸々にお話しいただいております。

電話の目的は、事例を説明するためのアポの取得です。事例は、多くのユーザーが高く評価する間接価値です。そのため、事例を前面に出してアポを取得するストーリーにしています。

もし展示会来場者を「クラウド（システム）導入を検討中」「今後クラウド（システム）導入を検討」「情報収集のみ」「そのほか」などと分類していれば、それぞれにアポ取りのストーリーが分かれます。ただ、このケースではそこまでの情報は取っていません。そこでまずは事例の説明に伺うことを打診し、その後のやり取りでユーザーを分類します。

電話で話すことの承諾を得る理由

営業：申し訳ございません。お電話の承諾なしに一方的に話してしまい、大変失礼しました。今、少しだけお電話でやり取りさせていただいてもよろしいでしょうか？

顧客：少しだけならいいですよ。

営業：ありがとうございます。では、続けさせていただきます。

本来のビジネスマナーでは、最初に「今少しだけお時間いただいてよろしいでしょうか」と打診し、承諾をもらう必要があります。しかし、この例のように相手が展示会への来場者で、商品への興味の度合いが不明な場合、上記のように普通に切り出すと「今忙しいから結構です」と断られる可能性が高くなります。

そこで、ユーザーが興味を持っている「事例」という言葉を最初に提示します。事例の説明をしたいと告げた後に電話の時間を取ってもらうよう承諾を得ることで､断られる確率を下げています。この進め方なら、電話についての承諾を得ているのでビジネスマナーにも反しません。

「既に電話で話し始めているのだし、わざわざ相手に承諾をもらう必要はないのでは？」と思うかもしれません。しかし、ユーザーは営業担当者の全ての対応を見ています。ひとたび「この人は電話についての承諾を得ずに話している」と営業担当者への不信感が生まれれば、払拭するのは容易ではありません。

その逆もいえます。「この営業担当者は電話についての承諾が必須だと意識している」と相手が思ったら、信頼感が生まれます。さらに､「本来は最初に承諾を得るべきところだが、話の途中で承諾を打診する状況になったので営業担当者がわびている」という場面をつくれます。イレギュラーな場面は、会話の内容をユーザーに深く印象付け、営業担当者への信頼をより強くする効果が見込めます。

事例で興味を引くか確認する

電話の過程では、訪問する相手が確度の高いターゲットユーザーなのかどうか見極めることが大切です。もし相手が自社商品で提供する成果を求めていないのであれば、アポの電話より先まで進めるべきではありません。それ以上アプローチしても受注できる可能性が低いからです。

営業：総合機械産業様は埼玉県にある従業員150人の機械卸の企業です。この会社では手作業が多く営業事務担当者の残業が減りませんでした。しかも書類を発行する業務でミスが多く、ユーザーに迷惑を掛けることがたびたび発生し、本当に困っていらっしゃいました。昨年弊社の販売管理クラウドを導入いただいたところ、こうした状況が改善しました。

ただ正直に言いますと、100％改善できたわけではなく、課題も少し残っています。その点については資料には記載していませんが、口頭でお伝えできます。

もっとも導入されて良かった点が、売上集計機能を使って売れ筋商品や死に筋商品を把握できるようになり、売り上げアップにつながったことです。営業事務担当者の受注登録などの作業時間が減り、捻出した時間で作業できるようになったので、担当者を雇うといった追加の人件費なしで、売り上げが上がったと喜んでいただいています。

もし事例に興味がございましたら訪問してご説明差し上げたいのですが、いかがでしょうか？ お忙しければいったん資料をお送りし、お仕事が一段落付かれた際に伺ってご説明させていただければと思います。

顧客：では、お越しいただけますか？

営業：ありがとうございます。

事例に興味があるかどうかを相手に確認することで、発注の可能性を判断しています。そのために、事例の中で商品を導入することで得られる成果を提示しています。

このケースでは、商品によってターゲットユーザーが得られる成果とともに、課題が残っている点を明らかにしました。説明時に「シンプルな機能」という価値のアピールにつなげる狙いがあるからです。加えて、「どんな課題が残っているか、説明を受けるには、営業担当者に来社してもらうしかない」という動機付けを促す狙いもあります。

事例説明の最後に、訪問がいいのか、資料請求がいいのか、という選択をユーザーに提示しました。相手が資料請求を希望した場合は、再度訪問のアポを取るための連絡がしやすくなるように前振りしておきましょう。さらに電話の会話を進めます。

営業：具体的に導入を検討されているのであれば、訪問時に実際に動くデモンストレーションをぜひご覧いただければと思いますが、いかがでしょうか。
顧客：デモもお願いできますか。
営業：ではノートパソコンを持参し、デモもさせていただきます。

デモの希望を尋ねた理由はさらにユーザーを絞り込むためです。具体的にクラウドの導入を検討しているユーザーかどうかを判断します。

相手は「ターゲットであり、クラウド（システム）導入を検討中」のユーザーでした。当然、「ターゲットだが、導入を検討していない」というユーザーの可能性もあります。

後者のユーザーに対しても訪問するかどうかについては、事前に方針を決め、それに基づきストーリーを立てておく必要があります。

クロステックシステム開発では「ターゲットであり、クラウド（システム）導入を検討中」のユーザーだけに訪問先を絞るのはリスクが高いと考え、「ターゲットだが、導入を検討していない」ユーザーに対しても訪問のアポを取る方針にしました。

この選択が正しいかどうかは、アポを取って訪問した後の結果で検証し、必要があれば次のアポ取りから方針やストーリーを変更します。

その場でスケジュール確認

訪問のスケジュールは、電話以外に、メールで候補日を打診するといったやり方があります。ここではその場で決める形を選びました。メールで再度打診となると、電話の後にユーザーの気が変わり「やはり訪問は不要です」と、断りの返信をもらう可能性があるからです。

一方で、Webサイトから資料請求の依頼を受けた見込みユーザーには、メールで候補日を打診するといいでしょう。訪問する人数も1人ではなく複数にして、多面的に説明する形式をお薦めします。Webサイトで資料請求するなど、既に自らアクションを起こしているユーザーはアポが取りやすく、受注確度も高いからです。この場合も実施後に検証し、必要に応じてやり方を変えるのを忘れてはなりません。

営業：訪問の日程ですが、よろしければ今、決めてもよろしいでしょうか。スケジュール表を見ておりますので、来週でご希望のお時間をおっしゃっていただければ幸いです。

顧客：では、来週の月曜日の10時はどうですか。

営業：はい、大丈夫です。では来週の月曜日Ｘ月Ｘ日の午前10時に、私○○が１人でお伺いします。念のため、Ａ様に訪問日時をメールで連絡いたします。私の連絡先をメールに記載しておきますので、何かありましたらお知らせください。

長いお時間、お電話でやり取りさせていただき、ありがとうございました。では来週月曜日、よろしくお願いいたします。失礼いたします。

最後に、電話の時間を取っていただいたお礼を伝えます。このお礼は最初のやり取りの承諾とセットになります。手紙なら「拝啓」と「敬具」のようなものです。こうした気配りが信頼の獲得につながります。

直接訪問するのではなく、Webミーティングでのアポ取りも可能です。

しかし、第4章でも書いたように、リアルに訪問して対面でやり取りするほうが提供できる情報量も、ヒアリングで得られる情報量も多く、営業テクニックの効果も高くなります。できる限りリアルに訪問するほうが良いでしょう。

そのため電話の際には、あえて「訪問がいいでしょうか、Webミーティングがいいでしょうか」という選択肢は示さず、訪問前提でアポ取りします。もちろん、先方の希望があればWebミーティングで実施しますので、Webミーティングの環境もあらかじめ準備しておく必要があります。

ここまでがアポの取り方です。重要なのはアポを取る目的を意識することです。最終的な目的は「受注」です。ともすると、アポを取ることが目的になってしまいがちですが、発注が見込めないユーザーからのアポには意味がありません。

最終的に受注するためには「営業ストーリー（受注までの営業折衝の流れ)」と「営業テクニック（ストーリーを進めるための折衝技術)」が必要であると第3章に示しました。

これはアポを取るときにもいえます。営業ストーリーを細分化・詳細化した「詳細ストーリー」の内容を、相手に応じて最適なものに変えるのです。ストーリーの中に営業テクニックを組み込むというポイントについても、事例を交えて説明しました。

最初の認知のアクションとして重要な電話（アポ取り）の要点をまとめましたので実践にお役立てください。

Point 初回の電話（アポ取り）での注意点

□ **顧客リスト作成後すぐ電話しない**

電話する前に営業ストーリーを組み立てておく

□ **電話の第一声で相手の心理的ガードを低くする**

相手に警戒させない紹介を心掛ける

□ **時間を取ることに対し承諾を取る**

相手からの信頼を積み重ねる

□ **事例に興味を引くか見極める**

興味がなければ受注の可能性は低い

□ **その場で今後のスケジュールを決める**

「後でメール連絡」は断られる可能性あり

□ **お礼はきちんと**

承諾とセットのお礼で話を締める

訪問
導入意思の確認を目的にする

客先訪問は「初回」が勝負

アポが取れて、初回の訪問日時が決まりました。次に何をすればいいでしょう。「資料を用意して、相手が興味を持ちそうな技術やトピックを調べる。後はとにかく会って話せばいい」と考える人が多いかもしれません。これでは正解とはいえません。そのやり方では受注にこぎ着けるのは難しいでしょう。

断言しますが、客先訪問は初回が勝負です。もっと綿密に計画を立てる必要があります。アポを取るとき同様、ここでも営業ストーリーを考え、そこにテクニックを組み込む作業が大切になります。

初回訪問に導入意思を確認すると受注率が高まっていた

営業ストーリーを考える前に、改めてユーザーを訪問する目的を考えます。**ロジカルセールスでは、初回の客先訪問の目的を「自社が提供する商品やサービスの価値を理解してもらい、その導入意思を確認し、導入について合意を得る」と定義します**（初回訪問の目的を「情報提供」などとユーザーと合意している場合を除きます)。

こう書くと、「初回訪問でいきなり導入の意思を確認するのは無理があるのではないか」と思うかもしれません。その考えはもっともです。

以前は筆者も初回訪問時には商品を説明するだけにとどめていました。そして後日、「ご検討状況はいかがですか」などと連絡し、導入の意思を確認していたのです。

このやり方をしばらく続けていましたが、あるとき、「どういう案件が受注できたのか」を振り返ったところ、受注できた案件の多くは営業の初期段階、特に初回訪問時に何らかの導入意思を確認できていたことに気付いたのです。

この事実に気付いてからは、意識して初回訪問時に導入意思を確認するようにしました。そして、できるだけ導入についての合意を得るように心掛けたのです。すると、受注率が高まりました。

筆者の経験からも、こう言い切れます。**初回の訪問で可能な限り導入意思を確認するほうが受注につながりやすくなります。**

なぜでしょうか。その商品やサービスで実現する成果を求めていない、あるいは別のシステムを導入済み、投資意欲がないなどの理由で導入意思が確認できないユーザーをふるいにかけることで、短期で導入できる可能性が高いユーザーに絞って営業工数をかけられるようになります。そうして受注率を高めるのです。

導入意思が確認できたユーザーとは同じ目的を意識・共有しながら後の営業折衝を進められるので、これも受注率の向上につながります。

では、初回訪問時にユーザーの導入意思を確認できなかった場合はどうすればいいでしょうか。受注につながる確度が低いと判断して、営業対象としての優先度を下げ、あまり営業工数をかけないようにします。

SIなどの個別提案型の営業の場合は、初回訪問での導入合意はほぼ不可能です。なぜなら、初回訪問で提案する内容はあくまでも自社の仮説に基づいたひな型程度のものがほとんどで、そのまま導入に合意してもらうのは難しいからです。それでも、その提案内容をベースにしながら導入に向けて進む可能性があるかどうかの確認は必須です。

導入意思を確認できない原因を探る

「初回訪問の反応で、ユーザーの導入意思が確認できないからといって優先順位を下げていては、手持ちの案件がどんどん減っていくのではないか」。こう不安に思う人もいるかもしれません。

誤解のないように付け加えると、営業工数をかけないようにするといっても、案件を完全に捨ててしまうわけではありません。ここでも営業ストーリーづくりが重要になります。

具体的には、「なぜ導入の意思を確認できないのか」という原因を分析し、原因に応じて営業ストーリーを変えていくのです。

導入意思を確認できない理由はユーザーによって様々です。「昨年システムを入れ替えたばかりなので、さすがに今すぐの導入は難しい」といったもの、あるいは「自分以外に業務に携わる現場スタッフの意見を聞かなければ回答できない」といったものもあるでしょう。

理由を聞いて、中長期的にお付き合いしていくユーザーだと判断した場合には、定期的なフォローを軸とした営業ストーリーに切り替えます。

導入意思を確認する営業ストーリー

ロジカルセールスの初回訪問の目的を導入意思の確認にした理由がお分かりでしょうか。では、いよいよ営業ストーリーをつくります。通常の客先訪問では以下のようになるでしょう。

通常の客先訪問

- 挨拶と名刺交換
- 会社説明
- ユーザーの状況確認
- 商品説明（提供価値、実現する成果）
- ユーザーの要望と自社商品との適合度、導入意思と課題の確認
- 次のアクションの確認

初回訪問の目的である「導入意思の確認・合意」を達成するための営業ストーリーをつくり、営業テクニックを組み込みます。まず、大まかなストーリーをつくります。

その順序は第4章で紹介した営業ストーリーに沿って「1：環境を準備する」「2：価値を提供し、相手のニーズを把握する」「3：導入意思を確認する」と決めます。これらは全て「導入意思の確認・合意」という目的を達成するためにあります。

最初の「環境を準備する」は導入意思の合意を取りやすくするための仕込みに相当します。仕込んでおけば、「導入意思の確認・合意」につながる確率が高まります。

大まかな内容が決まったら、それぞれに詳細ストーリーを加えていきます。「環境を準備する」の詳細ストーリーは「挨拶と名刺交換」「訪問趣旨の説明と確認」「訪問内容の説明と実施内容の選択」で構成します。

同様に「価値を提供し、相手のニーズを把握する」と「導入意思を確認する」の詳細ストーリーをつくっていきます。

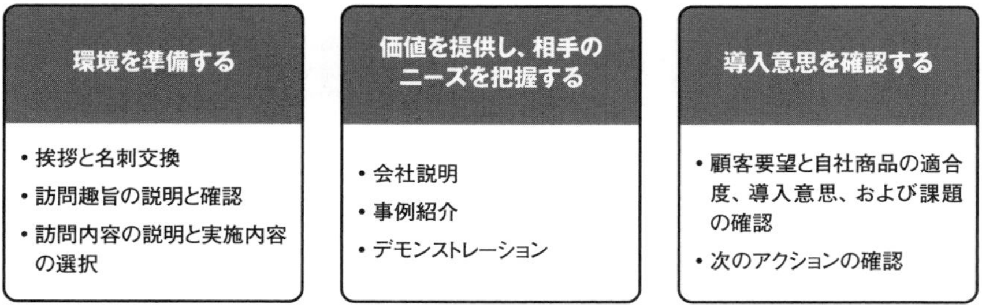

環境を準備する	価値を提供し、相手のニーズを把握する	導入意思を確認する
• 挨拶と名刺交換 • 訪問趣旨の説明と確認 • 訪問内容の説明と実施内容の選択	• 会社説明 • 事例紹介 • デモンストレーション	• 顧客要望と自社商品の適合度、導入意思、および課題の確認 • 次のアクションの確認

図●「導入意思の確認・合意」を達成するための営業ストーリーと詳細ストーリー
初回訪問で導入を確認するのは重要なアクション

必要に応じて営業ストーリーを変える

詳細ストーリーの一つひとつの項目を見ると、「通常の客先訪問」の営業ストーリーと大差ないと感じるかと思います。その通りです。

「導入意思の確認・合意」という最終目的を達成するためにつくった大まかな営業ストーリーの中に、一般的に行われている営業行為の項目をマッピングしたわけです。最終目的と一つひとつの行為をひも付けたのです。

単にやるべきことを手順にして進めるのではなく、**常に目的と行為とを関係付けて、必要に応じて営業ストーリーを変えていく——。それがロジカルセールスの要点です。**

通常の客先訪問

一般的な訪問時の内容をこなしているものの、受注率は上がらない

目的達成のための客先訪問

「導入意思の確認・合意」の目的に向け、全ての営業ストーリーと営業テクニックを組み立てる

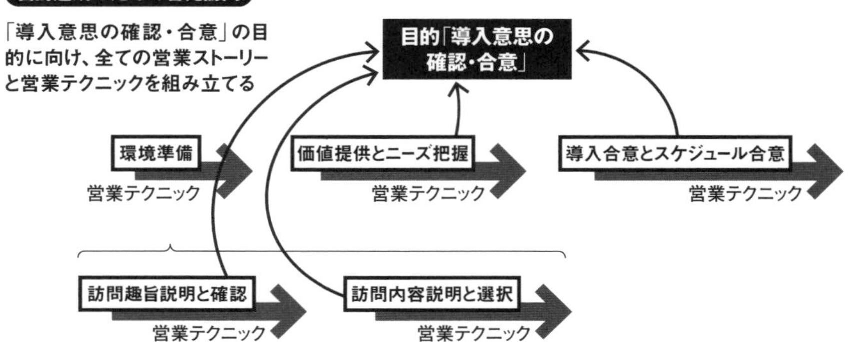

図● 「通常の客先訪問」と「目的達成のための客先訪問」の違い

「導入意思の確認・合意」という目的達成に向けて営業ストーリーを組み立てる

環境を準備する

アポを取り付けたあなたは、実際にユーザーを訪問したところです。目的は「事例説明とデモ」である旨、アポを取るときに約束しました。これから、訪問の最初の段階で押さえるべき実践的な進め方を仮想体験します。

応接室に通されました。アポの相手が部屋に入ってきたので、挨拶と名刺交換をして、席に座ります。

訪問趣旨の説明と確認

最初に訪問の趣旨を説明します。**そのときに「契約行為」と「セットでの確認」という2つの営業テクニックを使います。**

まず、アポ取りの際に約束した内容（事例説明とデモ）を実施する、つまり契約を履行することを伝えます。そのうえで、訪問の最終目標をユーザーと合意する契約行為をします。最後に相手からの質問を受け付け、契約行為とセットで確認を促します。

「セットでの確認」とは、相手が同意できるフレーズを前後に入れて、最終的にイエスと言ってもらいやすくする営業テクニックです（第4章参照）。契約行為を省くのは禁物です。あくまで「導入意思の確認・合意」が訪問の目的なのですから。

営業：先日は展示会で弊社ブースにお立ち寄りいただき、また本日は貴重なお時間を頂戴し、ありがとうございます。今回は弊社販売管理クラウドの導入事例に関する詳細な説明と、実際に動くデモをご覧いただきたく、ご訪問しております（契約の履行を伝える）。

実際に販売管理向けソリューションの導入をご検討中とのことですので、デモをご覧いただいたうえで、よろしければ貴社のニーズに合うかどうかも併せてお聞かせいただければと思っています（訪問の最終目標を合意する）。

ご質問などございましたら、説明の途中でも構いませんので、遠慮なくお声掛けください。ここまでよろしいでしょうか。

顧客：はい、分かりました。

営業：ありがとうございます。

次に訪問内容、実施する内容の概要を伝えて、相手に内容の選択を仰ぎます。「説明の順番を変えてほしいと思ったり、内容に過不足があると感じたりした場合、指摘してください」という趣旨で事前に念を押します。そうすることで、ユーザーから「自分の意に沿った進め方をしている」と信頼を得ることができます。

そしてユーザーに「事例紹介」と「デモンストレーション（デモ）」を行う旨を説明していきます。これは営業テクニックの1つ「目次を見せる」に当たります。

営業：本題に入る前に、本日の進め方を説明します。まず弊社の会社概要を説明し、続いて今回のお打ち合わせのメインである事例を紹介します。その後に、弊社の販売管理クラウドのデモをご覧いただきます。最後に、弊社商品が貴社の要望に合うかどうか、ご感想をいただければと思います。

以上、過不足や順番についてご希望がありましたら遠慮なくおっしゃってください。

ここまでの営業ストーリーで、訪問に関しての環境を準備しました。次は「価値を提供し、相手のニーズを把握する」段階に入ります。

価値を提供し、相手のニーズを把握する

訪問のハイライトとなるパートです。会社説明から訪問の目的である事例紹介、そしてデモを通して、自社商品・サービスやそれを支える組織体制などの強みをアピールします。そのうえでユーザーにもたらす成果を明確にします。現状判明している課題に解決策を併せて提示し、ユーザーの不安を解消します。

会社説明

会社説明は間接価値を印象付ける重要な場面です。適切に商品の導入可否を判断してもらうために、間接価値を必ず提供します。

ただ、ユーザーがあなたから聞きたいのは事例であり、見たいのはデモです。ユーザーが事例とデモを期待しているのは承知していると表明しつつ、しっかり会社説明をすることで間接価値を提供する営業ストーリーを作成します。

ユーザーにとって価値のない内容を説明してはいけません。営業ストーリーに沿って練り込み、営業テクニックを駆使して、内容に興味を持ってもらえるよう工夫しましょう。

あなたは会社説明をするところです。

ここでは、クロステックシステム開発の特徴（中堅の卸売り向けに強い、関西地区でも対応できる、自社開発のためユーザーの意見を反映しやすいなど）を伝えて、本題の事例説明とデモの前置きにします。会社説明の途中に、相手が興味を示すだろう事例に必ず言及します。

営業：早速弊社の会社概要を簡単に説明します。その後に事例の説明とデモをさせていただきます。弊社の名前を展示会で初めて知ったのではないでしょうか。平成元年に創業し34年目になります。IT業界では10

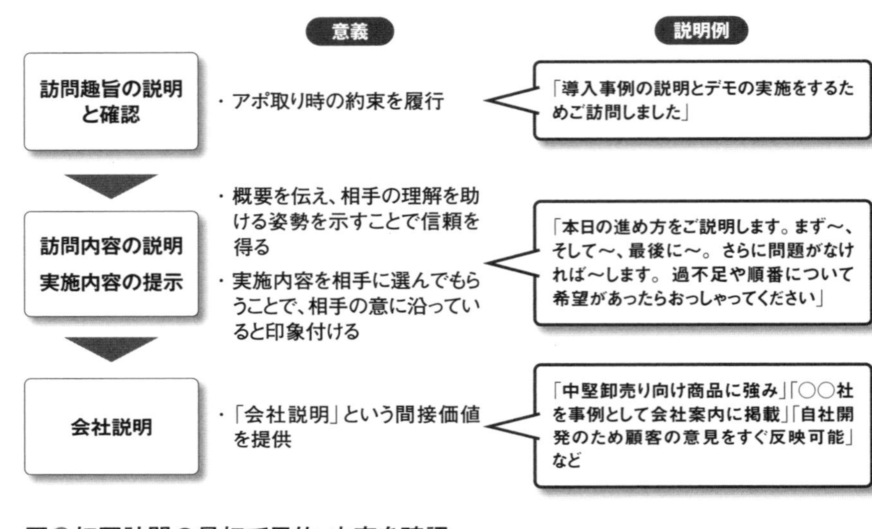

図●初回訪問の最初で目的・内容を確認
訪問時の営業ストーリーの流れ

年続けば立派なものだといわれますので、その意味では歴史ある開発会社といえるかもしれません。

社員数は200人弱で、東京本社に加え大阪にも支社があります。貴社も大阪に営業所をお持ちですので、**本社だけでなく大阪営業所でも何か困りごとがあった際に、すぐに駆けつけることができます。**

おかげさまで大企業との取引も増えており、安定した事業基盤を維持しています。

会社案内に記載した総合機械産業様は事例発表をご承諾くださり、弊社の会社概要にある取引欄への掲載も快諾いただいたお客様です。業務内容の一番上にある卸売業向け販売管理クラウドが、弊社の主力商品となります。

記載した**取引先の多くは卸売業の会社です。弊社は設立当初より卸売**

業向けの開発を数多く手掛けており、そのノウハウを集約してクラウド化したものです。自信を持ってお薦めできる商品です。

デモ実施前に強みをアピール

事例紹介の言及と併せて、デモの前置きになる説明を入れます。例えば、開発スタッフがイベントに参加する積極的な姿勢をアピールできます。

営業：弊社の社員のほとんどが開発スタッフです。営業担当者は私を含めて４人しかおりません。企業方針として、売ることよりも「良い商品を開発する」ほうを重視しているからです。

展示会では開発スタッフも交代でお客様に商品を説明していたのですが、不慣れな点があり、ご迷惑をおかけしました。

開発スタッフはお客様と積極的に接触し、ニーズを吸い上げて良い商品にしていこうという意識が強く、それが商品にも表れているとご理解ください。

この後デモをご覧いただきます。お客様から「シンプルで使いやすい」「現場のニーズを分かってつくっている」と好評なのは、弊社開発スタッフの顧客志向の結果だと考えています。

先述の通り、商品は自社で開発しています。大手企業の場合は他社から仕入れた商品や、自社ブランドであっても他社からOEM（相手先ブランドによる生産）供給を受けている場合もあるようです。

導入後にトラブルが発生することも正直あります。弊社技術スタッフ自らがお客様対応しますので、迅速かつ的確にトラブルを解決できます。この点はご安心ください。

つい長くなってしまいました。ご不明点はございませんか？

顧客：特にありません。

営業：ありがとうございます。

相手に興味と期待を持たせたところで、いよいよ事例紹介に入ります。相手はあなたの話に興味を持って聞いているようです。

事例紹介

事例紹介は訪問における主目的の1つです。ユーザーが最も興味を抱いている事例紹介は、話をきちんと聞いてもらえる大きなチャンスです。単なる紹介に終わらせず、このチャンスを有効活用するよう意識してください。

まず、事例紹介を通じてどのような価値を提供するのか、その価値によってどんな成果を実現するのか、ユーザーは何を理解して判断すればいいのかを、あらかじめ決める必要があります。

ここで「直接価値」と「間接価値」をおさらいしましょう。前者はユーザーの直接的なメリットにつながる価値で、後者はそれらにつながる商品やサービスに関係する情報を指します。

具体的には、直接価値は業務で必要とする機能や、その機能から得られる事業面のメリット、競合と比べたときの特徴などです。一方、間接価値は導入実績や取引先、運用体制などです。

事例紹介が重要なのは、「大手企業が導入している」「当社と同じ業態の企業が導入している」といった事実がユーザーに安心感を与えるからです。

あなたは、自社にとって代表的な総合機械産業の事例をユーザーに伝えたいと思っています。まず同社の紹介、そして課題を話してから、その課題はあなたが提案する販売管理クラウドによってどう解決できたのか、そしてどんな成果を実現できたのかを説明することにしました。

営業：紹介する事例は、埼玉県に本社を構える総合機械産業様です。1965年創業の歴史ある機械関連の卸売会社で、従業員は150人、年商は120億円です。

手作業が多く、事務担当者の残業が定常化していました。このため労務費が膨れ上がり、利益率が低下する要因となっていました。納品書や請求書に間違いが多く、取引先からのクレームも増えており、困っていたそうです。

危機意識を持った同社は、システムの入れ替えを検討し始めました。適切なシステムを探していたところ、弊社の販売管理クラウドを既に利用していた別の会社から「導入してうまくいった」と聞き、ご紹介いただきました。これが商品の導入を検討するきっかけになったそうです。

次に、総合機械産業がクロステックシステム開発の販売管理クラウドを導入する際に重視した検討事項を提示します。

ここで提供する間接価値は導入事例そのものになりますが、その中で「自社業務への適合の可能性」「自社への導入効果の期待」を促すだけでなく、「導入判断の内容および進め方」を提示します。ユーザーの検討や判断が無駄に長くならないように、この段階で手を打っておきます。

営業：総合機械産業様が弊社の商品を選定する際に、吟味した点が2つあります。1つは、業務の中でシステムがカバーできる割合はどの程度か。もう1つは、現場スタッフが使いこなせるかどうかです。

1点目について、弊社のクラウドは機能のシンプルさを売りにしています。多機能ではないので、業務を100%自動化することはできません。

総合機械産業様に**「自動化したい業務」**を洗い出していただいたうえで、**その業務と弊社クラウドの機能とを照らし合わせて、どれだけの割合を自動化できるのか、重要な業務をカバーしているのかをご確認いただき**

ました。

評価した結果、重要な業務には全て対応しており、全体の業務の80%を自動化できることが分かりました。自動化できない20%のうち、半分は特殊な業務でした。これに対して同社は、手作業で書類を発行し、結果を手入力することにしました。残りは若干の追加費用で、カスタマイズして自動化を実現しています。

他社の販売管理のソリューションには、「どんな業務にも対応可能」とうたう多機能商品があります。完全に業務を自動化したいのであれば、こうした商品をお選びいただくほうがいいかもしれません。

2点目ですが、いくら機能が良いからといって、現場で使いこなせなければ意味がありません。特に画面が見にくい、入力しにくい、といった場合は思ったほど効率化できず、現場に定着しないという事態を招くケースがあります。

総合機械産業様では、**弊社クラウドのデモを現場部門の責任者の方が確認し「これなら使える」と判断しました。**導入前には現場担当者へ説明会を開き、不安の解消に努めました。

成果提示で相手の心をつかむ

ここで「ユーザーの成果」を明確に提示します。それによって、相手がターゲットユーザーかどうかを確認します。相手がターゲットに合っていれば、事例紹介で担当者の心をがっちりとつかむのです。

第3章でも書きましたが、紹介事例の成果を早いタイミングで明確に提示することは、営業だけでなく、ユーザーにもメリットがあります。必要のない商品やサービスに対して、導入を検討する時間と工数をなくせるからです。

営業：導入結果について、総合機械産業様には大変ご満足いただいています。予定通り**事務作業の効率化が実現でき、残業が半分以下になりました。**十分な効果とのことです。

クラウドを導入した後、クレームはゼロになりました。取引先からの信頼はお金で買えないと喜ばれ、お礼を言ってくださいました。

最も喜ばれているのが、売上集計機能による売り上げリポートの出力です。どの商品が売れているのかいないのか、どの営業がどの商品をどれだけ売っているのかが一目瞭然です。ある営業担当者が特定の商品の売り上げを伸ばしていることが分かり、その売り方をほかの営業担当者に展開したところ、全社の売り上げが伸びました。

さらに死に筋商品を把握したことで仕入れる商品を変更し、売り上げを回復したそうです。まさかクラウドを導入して売り上げが伸びると思っていなかったとおっしゃっています。

この売上集計機能は、専門の担当者が操作するのではなく、営業事務担当者が操作しており､追加の人件費がかかっていません。さすがに月末・月初は余裕がないのですが、それ以外はクラウド導入で作業に余裕ができ、空いた時間で売上集計機能を使って売り上げリポートを出力しています。社長は「当社の営業事務スタッフは、事務担当ではなく、今や貴重な営業メンバーの1人だ」とおっしゃっていました。

現在では、営業事務担当者が売り上げに貢献しているという自信を付けたそうです。**離職率が下がり、人材のつなぎ留めにも効果を発揮しているわけです。**

今回、貴社で販売管理システムの入れ替えを検討するに当たり、残業が少なくなる、ミスがなくなるといったご要望への対応はもちろんですが、弊社クラウドの「営業事務担当者の役割を広げ、売り上げ向上に寄与できる」という点も加えて評価いただければと思います。

導入苦労や未解決課題の説明も

導入を検討する際の苦労話や、導入後の課題も説明します。未解決の課題をあえて指摘して、その解決策を提示すると共に、開発体制のメリットをアピールします。課題に対するユーザーの興味は強いので、関心を引いたうえでアピールしたい内容を提示します。

営業：実は、総合機械産業様には課題が残っています。一部残る手作業の部分です。

最近は特殊な取引の依頼が増えているようで、現場からは「システムで自動化したい」との要望が上がっています。

以前は個別にご要望を受け、カスタマイズしていたのですが、クラウドでの提供ということもあり、**今後個別のカスタマイズは行わない方針です**。

しかし、**ご要望がほかのお客様でも使える内容であれば、バージョンアップで対応可能です。追加の費用はかかりません**。これを受けて、手作業部分のうち、どの業務を自動化したいかを総合機械産業様がリストアップしました。どの内容をバージョンアップで対応できるかを弊社が確認しているところです。

もう1つの課題は帳票です。一般的な帳票の作成機能は標準で備えているものの、取引先が指定した帳票を使わなければならない場合があります。これには対応していません。

手書き対応は手間がかかるうえ、ミスの可能性もあります。現状、個別のカスタマイズは行わない方針ですが、**弊社クラウドは他社の帳票作成のソリューションと連係することが決定しています。実現すれば、若干の追加費用で標準以外の帳票を提供できるようになります**。さらに設計機能を追加で契約していただければお客様自身で作成することも可能です。

こうした取り組みが迅速にできるのは、商品を自社開発しているからです。弊社のクラウドが御社の要望にマッチしており、さらなる売り上げ増をご希望であれば、ぜひご検討ください。

事例紹介を通じて、ユーザーの関心を引くことができたでしょうか。実際の営業ストーリーをつくる場合には、いろいろな価値提供の組み合わせが考えられるでしょう。「なぜこの営業ストーリーにしているんだろう」「この箇所でこうテクニックを使うのか」などといった視点で、これまでのやり取りを確認してください。

事例紹介はユーザーの求める具体的な成果のイメージを持ってもらえる強力な情報です。以下にポイントを示しますので、納得感が増す紹介の仕方を工夫してみてください。

Point 事例紹介は価値提供の最大のチャンス

- □ **直接価値（機能／特徴／価格など）か間接価値か（導入実績／運用体制など）、アピールするものを決める**
- □ **事例企業が導入で上げた成果を明確にする**
- □ **事例企業が導入を判断した理由や導入をどう進めたかを伝える**
- □ **商品・サービスに課題があれば解決策を併せて提示する**

デモンストレーション（デモ）

訪問先でのプレゼンはいよいよ佳境です。あなたはデモに移ろうというところです。

デモを実演するだけでなく、ターゲットユーザーの既存システムの状況やスケジュール感などを確認します。その前に大きなポイントとして、事前の合意や理由付けを忘れずにします。

どのように進めればいいのか見ていきましょう。

営業：では、弊社の販売管理クラウドが実際に動く画面をデモでご覧にいれます。その前に、貴社での検討内容を簡単にお伺いできないでしょうか。ご要望や重要視する点を意識しながら、最適な形でデモを進めたいと思いますので。

顧客：なるほど、確かにそうですね。

営業：簡単で構いません。そのきっかけといいますか、背景からお聞かせいただけると助かります。

顧客：分かりました。

ここでは、デモ中にユーザー状況を確認するという営業ストーリーにしています。最適なデモのために、ユーザーの状況を確認することは必須です。しかし、ここまでのやり取りの中では合意を得ていません。この状態でいきなり状況を確認すると、相手に不信感を与えてしまいます。

ユーザーに対して説明や確認といった折衝を行う際には、事前の合意や理由付けが必要になります。そこで「最適なデモを実施するために、検討状況を教えてほしい」と理由付けをして合意を得たうえで、デモの前にユーザーの状況を確認します。

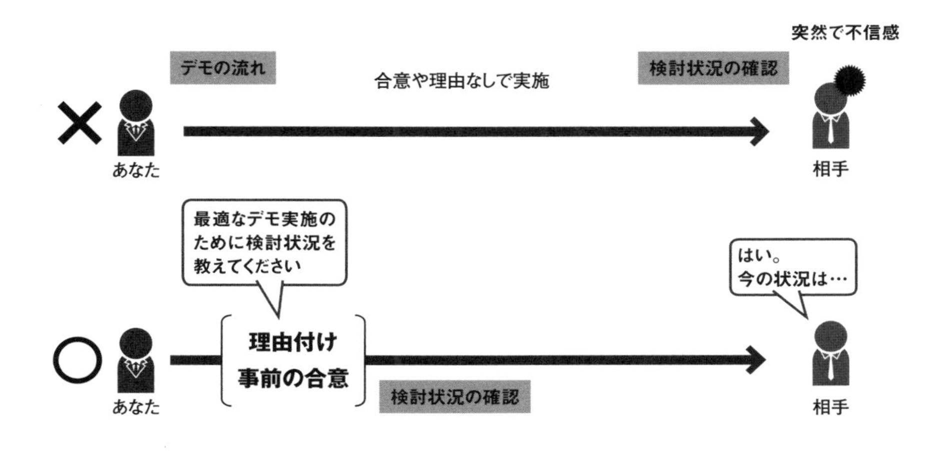

図●ユーザーの状況確認の良い例、悪い例
相手の検討状況は理由付けと事前の合意を得てから

するると相手は以下のような背景を話してくれました。

顧客：当社は7年前にパッケージのシステムを導入した際、業務に合わせるために大幅にカスタマイズしました。

システムを導入した当時に問題はなかったのですが、新規の取引先が増えて取扱商品が変わったときなど、その都度業者に依頼して修正してもらう必要が生じました。それではお金がかかりすぎるので、営業事務担当者がだんだん手作業で対応するようになりました。現在ではほとんどが手作業になり、担当者の残業が定常化しています。

先ほどの事例と同じく、特に締めの前後は残業続きとなります。労務費の問題に加え、営業事務担当者が辞めてしまうのが問題になっています。現在の担当者は入社2カ月で、慣れない分残業が多く、それでも回らないので営業担当者が自ら事務作業をしているありさまです。

あまりにミスが多く、恥ずかしい話ですが、取引先から呼びつけられたことが何度もあります。こうしたことから「システムの入れ替えを至急検討するように」と社長が指示しました。

現在はインターネットで検索して様々な資料を取り寄せ、検討しているところです。実際に動く画面も見たいと思って先日展示会に行き、クロステックシステム開発さんのブースに立ち寄ったわけです。

営業：状況を丁寧に教えてくださり、ありがとうございます。必要な機能や具体的なご要望はおありでしょうか。具体的にいつ導入したいといった希望はありますか？

顧客：必要機能や具体的な要望といわれても正直、分かりません。あまりシステムに詳しい人間はいないので、簡単に使えて、手作業がなくなり残業が減って、ミスがなくなればいいだけです。できるだけ早めに導入したいと考えています。

導入意思を確認する

ユーザー要望と自社商品の適合度、導入意思、および課題の確認

あなたは販売管理クラウドのデモを終わらせました。いよいよ訪問の締めです。

訪問の目的は「導入意思の確認・合意」です。あなたが紹介した商品を相手が導入したいと思っているかどうかを確認する必要があります。「顧客要望と自社商品の適合度、導入意思、および課題の確認」と「次のアクションの確認」を通じて、その流れを見ていきます。

相手の明確な意思を引き出すために、どう働きかけて答えやすくするかを意識します。

営業：デモはいかがでしょうか。率直なご感想をお聞かせください。
顧客：使いやすそうな画面ですね。
営業：ありがとうございます。**弊社のクラウドは御社で使えそうですか？**「全然使えない」というのであれば、ちょっとショックですが、遠慮なくおっしゃってください。
顧客：いえ、そんなことはありませんよ。使いやすそうですし、事例の会社さんと同じような状況ですので、適合しそうな気がしています。
営業：ありがとうございます。**A様としては、「これなら導入したい」と思われましたか？**実際に会社として導入する、しないのご判断は、具体的にご検討いただいてからになりますが…。
顧客：私としては、今まで説明を受けた中で一番使いやすそうなので、導入に向けて検討を進めたいと思っています。ただ、ほかの商品を含めて検討していくつもりです。
営業：「導入に向けて検討を進めたい」とは、ありがとうございます。また「一番使いやすそう」というお褒めの言葉、うれしい限りです。

訪問の目的である導入意思の確認は必ず実行する必要があります。しかし、いきなり「導入の判断をしてください」と言っても、相手は警戒して答えてくれません。たとえ導入したいと思っていたとしても、明確に意思を表明すると、責任が発生します。「導入したい」と抵抗なく言えるような空気を醸成することが大切です。

そこで相手に導入意思を確認する前に、ワンクッション置きます。まず「使えそうかどうか」という選択を提示し、「使えそうだ」が選ばれた後に、意思を確認します。こうすれば答えやすくなります。

さらに「導入したいと思っていただけたでしょうか？」といった言葉で会社ではなく個人の判断だということを明確にして、判断のハードルを下げるのです。

相手が「導入の意思がある」と示したら、こちらからも明確に復唱して確認しましょう。契約行為は強固になり、今後の営業折衝を進めやすくなります。

プレッシャー与えず課題を確認

次に課題を確認します。ここでは課題を提示し、不足があれば伝えてもらうように促します。

ここで「これも課題ではないか」と先方が提示した場合は、より課題が明確になるので両者にとって価値ある確認行為となります。

ちなみに「これでいいですか？」とイエスかノーかの返事を求めると、相手はプレッシャーを感じます。1回の訪問で何度もこうしたプレッシャーを受けると、営業担当者への不信感につながりかねません。

相手に「イエス」を明確に求めるのは、導入意思を確認する1回だけです。ここでは「ほかに必要な条件があれば、ご指摘ください」などと伝えて、提案に不足があるかどうかと確認することで、提示内容に最終的な合意を促します。

営業：貴社への導入には3つの条件がそろうことが必要だと感じました。弊社システムが使いやすいか、導入すると手作業が減るか、貴社の予算内に収まるどうかです。これらの条件がそろえば、問題はないと考えています。ほかに必要な条件があれば、遠慮なくおっしゃってください。いかがでしょうか？

顧客：そうですね、その3点でいいかと思います。

営業：ありがとうございます。1つ目の使いやすさは、既に評価をいただきました。2つ目については、弊社で用意している「業務チェックシート」をご利用くだされればと考えています。

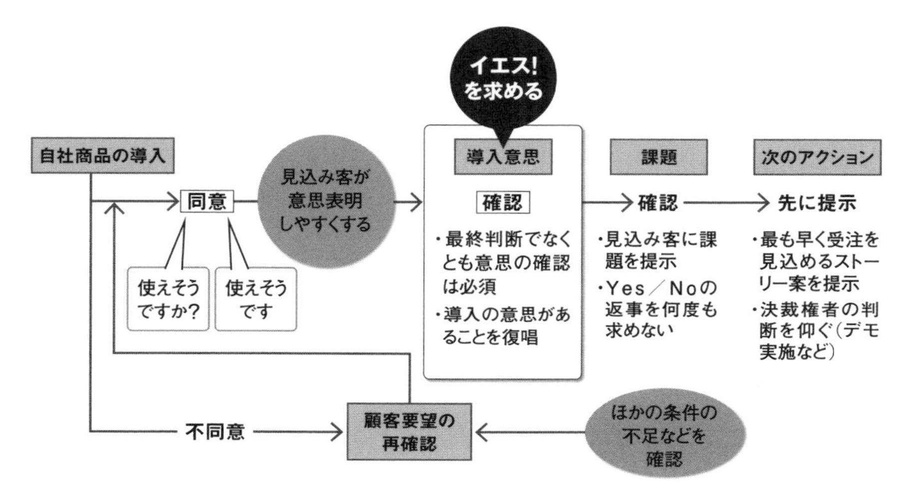

図●導入意思確認の営業折衝の流れ
必ず確認・合意を求める

３つ目の予算内に収まるかどうかに関しては、クラウドの利用料に加えて、初期費用や設定費用、導入教育などの費用を含めたお見積書をご提示するようにします。「ちょっと違う」という点があれば、ご指摘ください。
顧客：いえ、大丈夫です。

次のアクションの確認

今後の進め方は、こちらから先手を打ちます。最も早く受注してもらえる営業ストーリーをつくり、案として相手に提示することが大切です。

営業：最後に、今後の進め方を確認します。
先ほど出た残り２つの課題、手作業が減るかどうかは業務チェックシートを使い、予算に合っているかどうかはお見積書で確認していただく、という形で対応できればと考えています。

顧客：そうですね。

営業：業務チェックシートでの確認は時間がかかるかもしれませんので、お見積書での費用の確認を先行して進めてくだされぱと思います。もし貴社の予算と大きくズレないようであれば、社長と役員の方々にデモの実施を考えていますが、いかがですか。

現場の方に確認のお手間をかけたうえ、最終的に導入しないという結論だと厳しいと思います。デモは簡潔にしますので、ご調整くださると助かります。

顧客：分かりました。社長と相談します。

営業：ありがとうございます！では私はすぐに業務チェックシートと概算費用の資料をお送りします。A様には、社長と役員の方々を含めたデモの場の調整をお願いします。できれば来週、遅くとも今月中であれば、社長のスピード感にも対応できると思います。対応が遅いところがあれば、遠慮なくおっしゃってください。

訪問内容は以上となります。最後に、ご不明点やご質問などはございませんでしょうか。

顧客：特にありません。

営業：本日はありがとうございました。精いっぱい対応させていただきます。

営業：(帰り際に思い出したように）あ、もう一点だけすみません。社に戻り次第、資料類をメールでお送りしますので、A様もできれば今日明日には社長にデモについて相談していただけないでしょうか？

その際には、「いいシステムを見つけました！」とお伝えいただければうれしいです。また明日にでもお電話致します。では失礼します。

この例では、「提案」の営業ストーリーに役員へのプレゼンテーションを据えて設定しています。ターゲットユーザーの業種や規模によっては、比較的経営層と接触しやすいのではないかという仮説に基づきます。あなたが既存ユーザーのヒアリングを実施した際、半数以上で役員あるいは社長も同席していたことを踏まえたものです。

早いタイミングで価値と実現する成果を経営層に説明できれば、それだけ受注の確度が高くなります。

役員プレゼンの営業ストーリーは初回訪問時とほぼ同じで、環境を準備したうえで価値とニーズを把握して、導入意思を確認します。社長や役員に向け、内容をふさわしいものにします。例えば会社説明は軽めにし、成果を「売り上げの拡大」にフォーカスして、自社の商品やサービスがどう寄与できるのか詳しく提案するといった具合です。

費用が先方の予算に適合していれば、最終意思決定者である社長に向けプレゼンを実施し、そこで方向性を固めて業務適合性の判断へと進めます。このプロセスは時間がかかることが多いため、先に決裁権者の判断を仰ぎ、上から指示を出してもらうのです。

短期間での受注を促すために、早いタイミングで直接営業折衝して決裁権者の判断を仰ぐことは重要です。受注までの短期化を促すだけでなく、最終的な導入の成果を評価してもらえれば、予算枠や導入時期などの条件に関係なく導入の可否を即断してもらえる可能性が高まります。

詳細は割愛しますが、ターゲットユーザーのトップに実際に提案すると想像して、ご自身で営業ストーリーを考えてみてください。

営業ストーリーに組み入れている導入意思の確認・合意は必須です。次ページに「イエス」を引き出す実践のポイントをまとめましたので、ご活用ください。

導入意思の確認・合意への働きかけ

□ **相手が価値や実現する成果をどう感じているか聞く**

使えそうかどうかという選択肢を示す

□ **相手が導入したいと思っているか聞く**

会社ではなく個人の判断だとしてハードルを下げる

□ **課題や不足点を確認する**

内容を明確にして導入意思へつなげる

□ **明確に「イエス」を求めるのは導入意思を確認する一度だけ**

相手へプレッシャーを与えすぎると不信感につながる

□ **最も早い受注ストーリーを提示**

費用や業務適合性の確認などへ先手を打つ

受注
条件を確認して予定を明文化

卸売業向け販売管理クラウドの受注を目指しているあなたは訪問営業をしています。経営層へのデモも済ませ、導入意思の確認を経て、相手はあなたが紹介した商品を導入したいという意思を持ったようです。

ここからクロージングのための訪問で、受注を目指した折衝を進めます。商品の価値や実現する成果を説明して「これが必要だ」と思ってもらっても、相手は値引きを要求してきます。値引きについては章を改め、ここでは確認作業のポイントを押さえます。

営業：先日は社長をはじめ役員の皆様へのデモの場をセッティングいただき、改めてお礼を申し上げます。皆様の印象はいかがでしたか。

顧客：「使いやすくて良さそうだ」と好評でした。事例が最も響いたようで、特に営業事務スタッフが売上集計機能を使うことで売り上げが向上した点に相当なインパクトがあったようです。ありがとうございました。

営業：安心しました。役員の皆様に好評だということで、この後の進め方を具体的に決めたいと思います。まず業務チェックシートで手作業が本当に減るかどうかを至急、ご確認ください。問題がなければ、ご発注をお手続きいただければと考えていますが、いかがでしょうか？

顧客：シートについて困っていることがあります。現場はどう書いたらいいのか分からないようです。

営業：そうですか。では弊社の技術担当と伺い、現場の方とその場でいくつか一緒に書いてみるのはいかがでしょうか。今週中に打ち合わせます（打ち合わせなどの手順を決める)。

ほかに困りごとはございますか。弊社としては、手作業が確実に減ることを業務チェックシートで確認いただければ、弊社のシステムを発注していただけると考えています。発注に当たり、「これがそろわないと発注できない」という条件があれば、遠慮なくおっしゃってください。

顧客：手作業が減ることが確認できれば、問題はないと思います。

営業：ありがとうございます。安心しました。

全てのアクションにスケジュールを

クロージングでは受注のための課題や条件を洗い出したうえで、スケジュールを設定します。通常想定される課題や条件は、こちらから提示します。手戻りを防ぐだけでなく、ユーザーの信頼向上につながるからです。

全てのアクションにはスケジュールを設定します。ただ、相手のアクションにスケジュールを設定するとプレッシャーを与えますから、注意してください。自社に厳しいスケジュールを設定した後で相手のスケジュールを提案する、あるいはスケジューリングの理由を明確に提示するなどの工夫が大切です。

課題や条件と、対応のためのスケジュールについては、明文化して合意します。必ずメールや文章でやり取りしましょう。後はそのスケジュールに従って進めればいいのです。

営業：（資料を示しながら）以下のスケジュールを進める形でよろしいでしょうか？

業務チェックシートの打ち合わせとデモ：今週中（X月X日まで）

貴社での業務チェックシートの作成：来週中（X月X日まで）

弊社でのカスタマイズのお見積もり：X月X日まで

貴社でのご検討：X月X日まで※ご発注

カスタマイズ開発：X月X日（予定）
テスト導入および導入教育：X月X日〜X月X日（予定）
本稼働：X月X日（予定）

カスタマイズ開発以降のスケジュールはカスタマイズ量によって変わります。見積もりの際、最終的なスケジュールを添えて提示します。
顧客：このスケジュールで大丈夫です。
営業：ありがとうございます。導入して良かったとA様はじめ皆さんに喜んでいただけるように取り組みます。社に戻りまして、技術担当に今週の打ち合わせの日程を確認して、すぐ連絡します。今後のスケジュールを含めたお打ち合わせのメモを本日中にメールします。
ご不明点は遠慮なくご連絡ください。本日はありがとうございました。

第6章

値引きと予算への対応

営業するうえで避けて通れない2つのトピックを取り上げます。「値引き要求」への対応と「予算」の確認です。ほとんどの案件では値引きを要求され、予算がいくらなのかは簡単には分かりません。値引きへの対応ポイントと、予算を確認しやすい場面のつくり方を紹介します。ロジカルに進めれば納得してもらえるはずです。

お金の話は曖昧にしない
値引き要求・予算確認

値引きは恐ろしい行為

ユーザーから商品の値引きを要求されたらどうしますか。顧客心理を理解するなら「受注するためには多少値引きしてもいいのでは」と考えるべきでしょうか。

違います。値引きは、企業活動を支える利益を下げる、恐ろしい行為です。言い方はきついかもしれませんが値引きは「悪」と捉えるべきです。

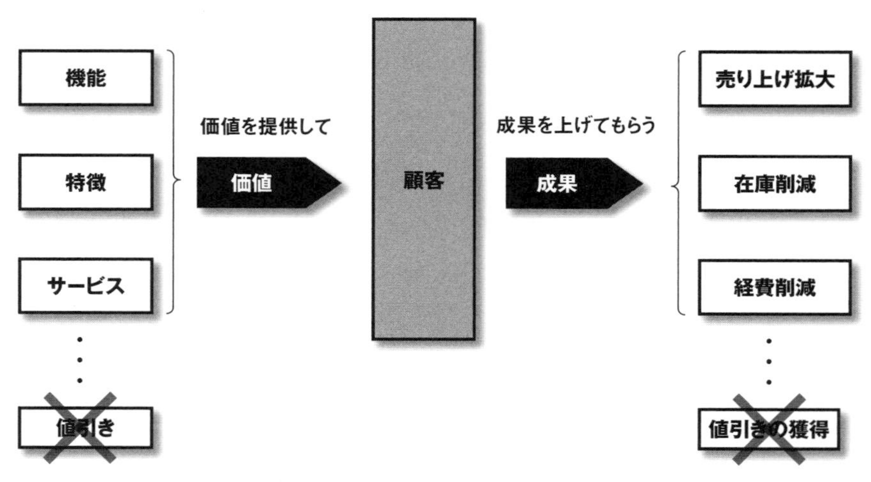

図●顧客に提供する価値と、顧客の成果の関係
値引きは価値でも、成果でもない

「利益の向上」に反する

なぜ値引きは悪なのでしょうか。基本に戻って、営業の目的を考えてみましょう。第2章で説明した通り、営業の目的は受注や売り上げではなく、「（自社の）利益の向上」です。企業活動は利益をベースにしており、いくら売り上げを上げても、利益が出なければ意味がありません。

こう説明すると、よく営業担当者から「それは自社の都合ですよね。値引きはユーザーからの要望の1つで、できる限り対応するのは営業の役割ではないですか」といった質問を受けることがあります。

改めて今までの章で説明したことを振り返りましょう。営業担当者はユーザーが成果を上げるために価値を提供します。重要なのは、最終的にユーザーが成果を上げることです。値引きではありません。

値引きをしないからといって、引け目を感じる必要はないのです。まして「自社都合で迷惑をかけている」などと考える必要は全くありません。

値引き要求には曖昧に対応しない

では具体的な値引き要求へどう対処するかを説明しましょう。まずは、基本的な営業折衝をしっかりと進めることです。価値とそれによって生まれる成果をユーザーに説明し「この商品が欲しい」「必要だ」と思ってもらいます。

それでも値引き要求は出てきます。その際は曖昧に対応せず、方針を決め、理由を添えてユーザーに納得してもらい、合意へと導きます。

ボリュームディスカウントなど特定の条件で値引きが可能な場合は、その条件に適合しないとして、ユーザーに値引きができない理由を説明できます。ユーザーごとに決める値引きではなく、理にかなった条件に基づく値引きであれば、断る場合にユーザーの理解を得やすくなります。値引きではなく、自社のプライシング（価格体系）とみなすべきものだからです。

値引きしない方針を採る場合

原則として値引きをしない場合、ユーザーの値引き要求への対応は以下の3点です。

> **1. 「値引きはできない」と宣言する**
> 基本的に値引きはできないと宣言（説明）する
> **2. 条件を付ける**
> どうしても値引きしなくてはならない場合は、必ず条件を付ける
> **3. 付加サービスを提供する**
> 「ユーザーの成果」につながる付加サービスを提供する場合がある。ただし事前に社内の合意を取り付けておく

1番目は明快です。「基本的に値引きはできない」と宣言します。当然、ほかのユーザーにも安易に値引きしてはいけません。「他社の値引き要求には一切応じていないと言いつつ、実はこっそり値引きしている」状況があってはなりません。営業の折衝でうそをつくのは厳禁です。

値引きの説明に限らず、営業折衝全般でうそを言ってはいけません。うそが公になった場合のリスクは計り知れません。その案件だけでなく、ほかの折衝案件やほかの事業、ひいては企業経営そのものに影響が及ぶ恐れもあります。

しっかりとした提供価値と成果の設定、営業ストーリーの練り込みができていれば、うそをつく必要はありません。うそをついて営業折衝するのはリスキーなやり方だと理解してください。

2番目です。どうしても値引きしなくてはならない場合は、必ず条件を付けます。例えば、「複数件を契約してもらう」「事例の公開を承諾し

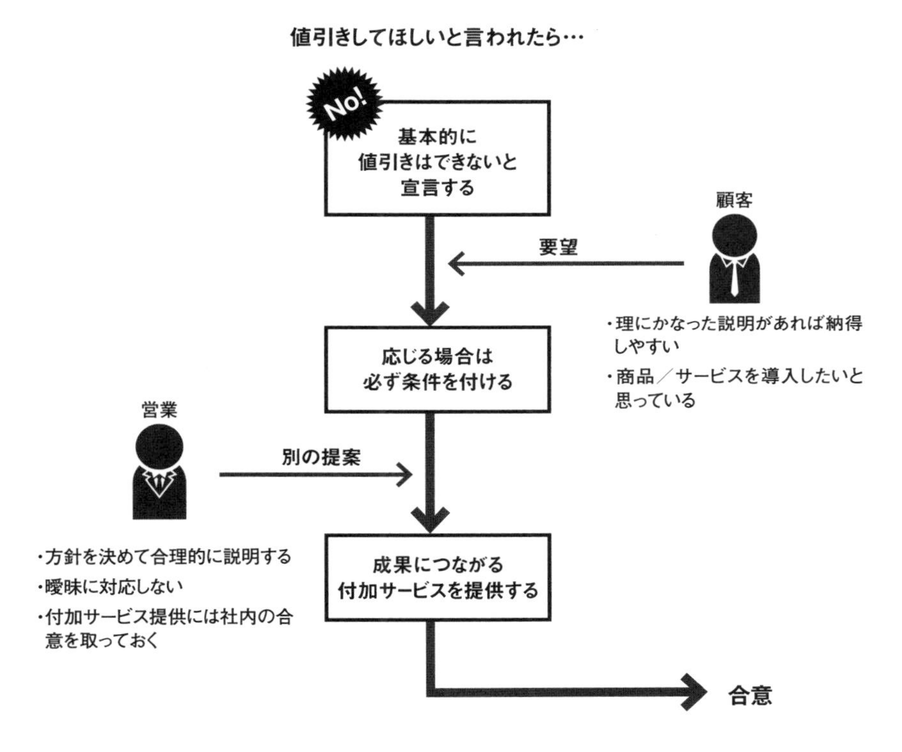

図●値引きを要求されたときの対応
値引きの要求は基本的に受けない

てもらう」などです。案件ごとに個別の値引き条件を決めるのではなく、条件ごとにある程度の値引きのガイドラインを、事前に決めておく必要があります。

最後に付加サービスを提供することを検討します。値引きの代わりに、ユーザーの成果につながる付加サービスを提供するのです。「値引きはせず、技術者の有償サポートを1回提供する」「有償トレーニングを1人分付ける」といった具合です。付加サービスの提供に関して、事前に社内の同意を取り付ける必要があるのは言うまでもありません。

以上を踏まえた値引きをしない場合の対応例はこのようになります。

営業：大変恐縮ですが、お値引きには対応しかねます。もちろん、お客様のお気持ちは十分理解できますし、私もお客様の立場であれば「値引きしてほしい」と言うと思います。

しかし、弊社では商品の機能拡張やお客様への支援を継続的に提供し、かつ向上させていくために、基本的に値引きをしない方針を採っております。

値引きではなく、弊社商品を導入して貴社が期待されている、あるいは期待以上の成果が出るように最大限の努力をいたします。「安く買えて良かった」ではなく、「導入して成果が出て良かった」と評価されるよう取り組んでまいりますので、ご理解いただけないでしょうか。

ただ、値引きを全くしない、ということではありません。場合によっては値引くケースもあります。例えば利用契約を5年間一括で締結する、部署ごとの導入ではなく最初から全社で展開するなど、営業コストが著しく抑えられる場合については決裁を仰ぎ、若干値引きできる場合もあります。

そのような特殊な場合を除いて、値引きはいたしかねます。ご了承ください。

値引き販売する方針を採る場合

一方、企業として多くのユーザーに値引き販売している場合は、営業折衝の進め方を変える必要があります。値引き要求があった際、値引きができる旨を伝えたうえで値引き幅を最小にとどめるように折衝します。

以下、2つの例を紹介します。

・営業で値引き枠を持っていますので、お値引きします。しかし、値引き幅が決まっており、定価の5%が上限です。その値引き幅を使ってしまうと、後がありません。

最初は定価で決裁を回していただけないでしょうか?

・営業で値引き枠を持っていますので、お値引きします。しかし、値引き幅が決まっており定価の5%が上限です。決裁の際、あるいはご発注の際に上席の方や購買部門の方からさらなる値引き要求があり得ませんか。もしそうなら、いったん3%の値引きで提示させてください。

値引き要求への対応を仮想体験

ここでもう一度第5章と同様に、客先訪問を仮想体験します。

あなたはIT企業「クロステックシステム開発」の営業担当です。クロージングのための訪問で、受注を目指した折衝を進めていますが、相手は値引きを要求しています。

前述した値引き対応の3ポイントを念頭に答えましょう。

営業:費用面はいかがでしょうか。先日お送りしたお見積書の金額で問題はありませんか?

顧客:最終的な金額で見積もりをいただいてから、役員会にかけるつもりです。今の段階では何とも言えません。

営業:正直に申し上げますと、クラウド利用料はお値引きできません。利用料には、運用費用や今後の機能拡張のための費用、お問い合わせの対応費用などが含まれており、パッケージソフトの費用とは違うため、お値引きできないのです。

見積もり項目の中の初期費用については、営業側である程度は負担できるので、お値引きが可能です。ただ金額としては小さいため、もし先日お送りしたお見積書の金額が貴社の予算をオーバーしているのであれば、残念ですが期待通りの対応は難しいかと思います。

今回のお話が無くなってしまうかもしれず、お伝えするのに勇気が要りましたが、ご迷惑をおかけしたくないので正直に申し上げました。現状のお見積金額は、貴社の予算内に収まっているのでしょうか？

顧客：はい、今のところは予算内に収まっています。ただ、値引きは必須だと考えてもらえますか。当社に「値引きがないと絶対だめだ」と主張している役員がいます。

営業：先ほどお伝えした通り、初期費用はお値引きが可能です。しかし、最初から値引いてしまうと、後がありません。恐縮ですが、最初は定価で進めることにさせていただけますか。その役員の方が値引きに触れる際に、初期費用をお値引きする進め方でお願いできれば幸いです。

顧客：分かりました。

営業：ありがとうございます。ほかに購買部門で値引きが必要などありますか。まれに購買部門の担当者のお顔を立てるために若干でも値引きが必須というお客様もいるのです。

顧客：それは大丈夫です。

営業：ありがとうございます。安心しました。

予算を教えてもらえない場合

商談あるいは提案の段階で相手の予算を確認することは非常に大切です。予算を確保しているか、その時期と金額はどの程度か、といった点を早いタイミングで確認しておけば、商談が短期か、中長期のものになりそうか、どのように進めるべきかなどを見極められるようになるからです。

予算の確認は、商品やサービスを販売する側だけでなく、ユーザーにとっても必要です。予算を確保していなかったり、確保するめどが付いていなかったりするのに、がんがん営業されたら困ってしまいます。

とはいえ、いきなり「予算を教えてください」などとお願いしても、相手は引くだけです。相手が予算について話しやすいタイミングで確認することが大切です。

顧客の予算を必ず確認する

第5章の営業ストーリーで設定した「デモンストレーション」に予算の確認を織り込んでいるあなたは、商品内容をしっかり理解してもらえるよう適切なデモを実施したいので、検討状況を知りたいと相手に伝えています。こうした理由付けの後相手が合意したことを確認したあなたは、自然な流れの中で予算について確認するストーリーに沿って会話を進めていきます。

営業：実際にクラウドを導入するとなると、もちろん費用がかかります。予算は確保されているのでしょうか。

顧客：予算は取っていませんが、業者を決定したら役員会で特別予算を計上するので選定を進めるよう、社長から指示が出ています。

営業：導入自体は確定で、予算の確保はこれからということですね。予算の規模はどの程度を想定されていますか？

顧客：一応いくつか調べた料金から考えて、ざっくりとした費用を算出すると経理担当の役員と話しています。

営業：差し支えなければ、具体的にいくらくらいかを教えていただけますか。弊社が見積もっている導入費用とあまりにかけ離れていれば、今後やり取りが生じるのも失礼かと思いますので。

顧客：うーん、具体的な金額はちょっと…。

営業：失礼しました。今後お話が進む中でお聞かせください。

これからデモを始めます。ご質問や分かりにくい部分があれば、デモの途中でも遠慮なくおっしゃってください（デモに入る）。

予算を確認するのは普通の行為

SEから転向した営業担当者に話を聞くと、予算の確認を苦手としている人が意外と多いようです。「予算を聞くのは失礼ではないか」「簡単に教えてくれるはずはない」「予算があっても本当のことは言わないだろう」などと考えるからだといいます。

強調したいのは、**予算を確認するのは失礼ではないということです。**営業担当者にとってごく普通の行為ですし、ユーザーにもメリットがあります。

一方で、「お金に関連する情報はあまり出したくない」という顧客心理が働くのも事実です。先方に確認しても回答がない、あるいは回答を保留するような場合は、深追いせずにさらっと流し、今後の営業折衝で確認します。

相手によって「予算を全く教えてくれない」「本当のことを言わない」ケースもあります。その場合は短期商談としての営業折衝を中止し、中長期商談に切り替えます。

「予算があるのに『ない』と言っているのかもしれない。それでも営業折衝を打ち切っていいのか」という疑問があるかもしれません。しかし営業折衝を進めるうえで判断の基準となるのは、ユーザーとのやり取りで得た情報や、調査して把握できた情報だけです。「相手はこう思っているはずだ」といった想像、つまり根拠のない情報を基に判断し、不要な営業工数をかけないよう肝に銘じておきましょう。

値引きは価格の訴求をおろそかにする

値引き対応と予算の確認に関して一通り説明しました。最後に、営業の目的について触れます。

筆者は営業の目的を利益の向上と考えていると説明しました。企業活動は利益をベースにしているからですが、もう1つ理由があります。それは受注確度の向上を促すことです。

筆者がパッケージ事業を統括していたときの話です。事業の黒字化を目指し、営業メンバー全員に事業の収益を公開したうえで、思い切って営業目標を売り上げではなく利益に変更しました。当初、利益を営業目標にすると受注率が低下すると予測していました。ところが予想に反し、受注率は向上したのです。

なぜでしょうか。利益を営業の目的にしたことで、値引きしてでも受注できればいいという方法が取れなくなり、ユーザーを納得させるため価値の訴求にフォーカスできたからです。これが、受注確度の向上につながったのです。

やはり、値引きは悪なのです。次ページにまとめたポイントを参考に、うまく値引き要求に対処してください。

Point 値引きと予算に関する対処法

値引きしない方針を採る場合

- □「値引きはできない」と宣言する
- □ 条件を付ける
- □ ユーザーの成果につながる付加サービスを提供する

値引き販売する方針を採る場合

- □ 値引きができる旨と最大値引き額を伝え、最初は値引きなしを提示し承諾を得る
- □ 値引きができる旨と最大値引き額を伝え、段階的な値引きを提示し承諾を得る

予算を教えてもらえない場合

- □ まず確認する。失礼に当たらない
- □ 理由付けして合意を取る（「最適なデモをしたいので、検討状況を教えてください」などの自然な流れの中でなぜ予算を知りたいのか根拠を提示する）
- □ 最初の確認でユーザーの回答がない／保留している場合は深追いしない
- □ 予算の情報を一切開示しないユーザーは中長期商談に切り替える

第7章

組織で勝つ チーム営業

多くのIT企業がチームとして営業を進めています。複数の営業担当者がバラバラではなく役割を分担しながら活動して全体で成果を向上させる、ロジカルセールスでの「チーム営業」について解説します。マネジャーやリーダーはもちろん、メンバーもチーム営業の全容を知って、チーム全体で成果向上を目指しましょう。

経験ゼロでも成果
分業体制がカギ

営業は「職人集団」、成果に個人差

筆者がSEから営業へ転向した当初、驚いたことが複数メンバーでの仕事の進め方です。システム開発とは違うことが多かったからです。

システム開発は通常、以下のようにプロジェクト単位で進めます。

- **複数メンバーでプロジェクトを組んで作業する**
- **プロジェクトではサブシステムやモジュールごとに分担を決める**
- **設計や実装、テストといった工程の単位でも分担を決める**
- **作業の進捗はプロジェクトマネジャーが管理し、システムの完成に向けて責任を持って進める**

これに対し、営業の世界ではプロジェクトを組むケースはめったにありません。営業担当者は基本的に個人で行動します。担当者個人の動きや成果の管理がマネジャーの主な役割になります。

当然、成果には個人差が表れます。成果を上げている営業担当者は、さらに成果を伸ばしていくでしょう。一方、成果を思うように上げられない営業担当者は「どうすれば成果を上げることができるのか」と悩むことになります。

そう考えると、全体ではなく個で動く営業部門は「職人集団」であるといっていいのです。

柔軟な対策が取りづらいデメリット

「営業が職人集団で何が問題なのか」と思う人がいるかもしれません。しかし実際には、職人集団には様々な弊害があります。課題が生じた場合に手を打ちにくいことが1つです。

プロジェクト単位で進めるシステム開発では、全体の成果に影響する課題が生じた場合、「このサブシステムの実装が遅れているので開発スタッフを増やそう」「このモジュールの品質が悪いので担当チームの作業内容を見直そう」といった対策を日常的に講じています。複数メンバーが関わっているので、解決策を柔軟に打ち出しやすいのです。

営業は職人集団なので、課題が発生したとき、柔軟に対策を講じるのが困難です。せいぜい人を替えるくらいしかできません。筆者のようなSEからの転向組や、初めて営業職に就こうとする人にとって、職人集団のままではハードルが高すぎるという問題もあります。

プロジェクト単位で進めるシステム開発では、新たに配属されたメンバーは徐々にプロジェクトになじんでいけます。最初は比較的難度の低い作業を担当し、その作業ができるようになったら、より難度の高い作業へとステップアップする、といった形で参加することが可能です。

職人集団の営業部門では、段階的にステップアップするのが難しいのです。新メンバーなら一部の作業のみ担当すればいいわけではなく、アポ取りから訪問、受注折衝に至る全ての営業活動を担当する必要があります。

例えばAさん、Bさん、Cさんのプロジェクトチームに Dさんが新規に配属されたとします。Dさんは一部作業を担い、プロジェクトは無事完結します。営業の職人集団に配属すると全活動を個人で任され、受注にはなかなか届かないでしょう。

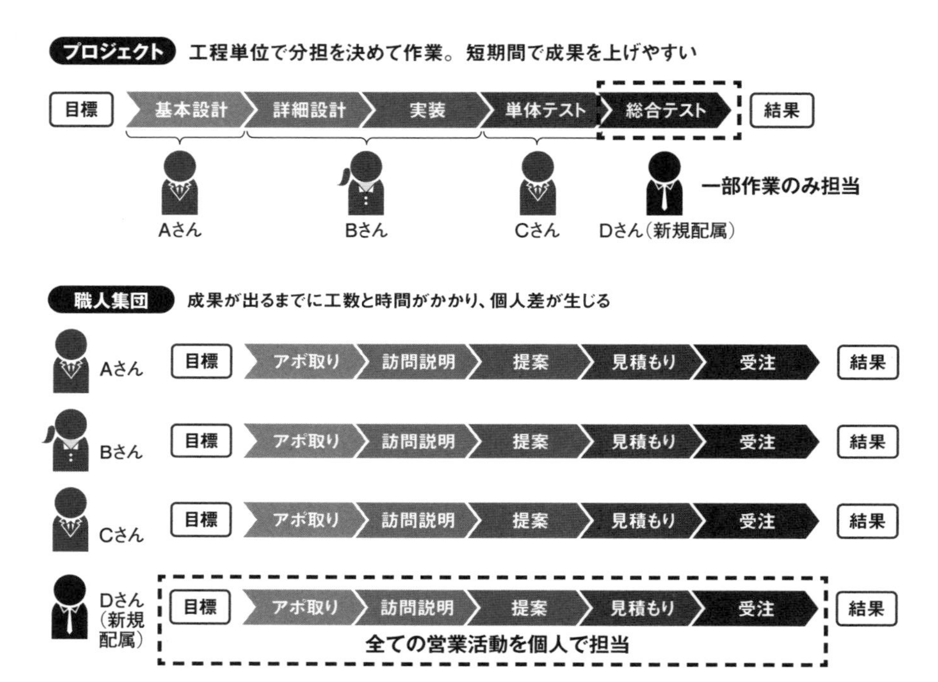

図●新規配属メンバーの立ち位置の違い
チームによるシステム開発プロジェクトvs個で動く職人集団による営業

初めて営業を担当する人にとって、これはキツイものです。成果を出せるようになるまで長い時間がかかるのが一般的です。

IT企業の営業部門には、職人集団が成果を上げにくいという特徴もあります。職人集団の営業部門は、優秀な営業担当者による個の力で全体の成果が決まります。多くの営業担当者が在籍し、出来高制の給与体系を採る販売中心の会社であれば、能力に見合った報酬を得られる優秀な担当者が残る一方で、成果を上げられない担当者が辞めていきます。すると新陳代謝が進み、全体の成果は向上します。

多くのIT企業はこうした手法を採用できません。開発や運用に携わる部隊が中心で営業スタッフの人数自体が少ないうえに、IT系の商材を営業するには広く深い知識が必要になるからです。簡単には人員を入れ替えられません。

以上のような理由で、IT企業では営業担当者が入れ替わることで得られるメリットよりも、デメリットのほうが大きくなりがちです。こうした状況では、現状の営業リソースを最大限に活用し、個の力ではなく、全体で成果を高める工夫が欠かせません。そのための営業組織の構築・運用方法が必要です。

チームで営業リソースを最大限活用

筆者が勧めるのは、職人集団とは異なる、システム開発のプロジェクトと同じような複数メンバーが協力し合う営業体制をつくることです。

プロジェクトという言葉には、数カ月あるいは数年といった期間限定の取り組みで、いずれ解散するものというイメージがあります。営業は永続的な取り組みなので、ロジカルセールスでは「チーム営業」と呼びます。本書が紹介するチーム営業は、プロジェクトマネジメントの考え方を営業に応用し、進化させたものです。

特にIT業界ではチーム営業が奏功すると考えます。前提として、IT業界の営業部門は「混成チーム」が多いという事実があります。先に、SEからの転向組が多いといいましたが、ほかにも様々な経歴のスタッフがいるのが普通です。管理部門の出身者、中途採用で入社したIT業界の営業経験者やIT業界以外の営業経験者などです。チーム営業は、異なるバックグラウンドによる多様な知見を全体の成果に結びつけられます。

筆者は以前、多くのIT企業の営業組織を分析しました。その結果、成果を上げ続けている営業組織はチーム営業に取り組んでいることが分かったのです。自分の経験からも分析結果からも、IT業界でチーム営業が奏功すると確信しています。

「経験ゼロ」でも成果

ここまでの説明を読んで、「チーム営業を本当に実践できるのか」と疑問に思う人がいるかもしれません。筆者の経験談を話しましょう。

パッケージソフトウエア事業を統括していたときのことです。黒字化が必達事項となり、受注を増やしながら、原価を下げる必要が出てきました。

パッケージソフトはユーザーに直接販売していました。いわゆる直販です。この形態で受注数を増やそうとすると、営業担当者の絶対数を増やさざるを得ません。ところが営業担当者の労務費は固定費なので、担当者を増やすと販売費がかさみ、事業損益を悪化させてしまいます。

どうすればいいのか。筆者は悩んだ末に「営業経験もIT業界での経験もゼロ」の派遣社員を数人、営業担当者として採用することにしました。要は、労務費の安いスタッフを加えたわけです。

今から考えても、これは無謀な取り組みです。もともとのスタッフは少数の営業経験者とSEからの転向組だったので、とてもえりすぐりとはいえない混成チームでした。

それでも事業損益は黒字化しました。チーム営業の体制を組み、これまで紹介した営業ストーリーと営業テクニックを使って受注を促した結果です。

ぜひみなさんもチーム営業に取り組み、成果につなげるよう挑んでください。

分業制でチーム全体の成果を上げる

IT営業部門は「混成チーム」

IT企業の営業部門をマネジメントするのは難しい――。IT企業で新規事業を立ち上げ、営業部門をマネジメントしてきた筆者の実感です。IT企業の営業部門は混成チームだからです。

多くのIT企業では、最初は技術職として採用・配属し、経験を積んだ後に営業へ異動させる、営業担当者を中途採用する、管理部門から異動させる、といったケースは珍しくありません。新規事業の立ち上げに合わせて営業体制を強化、あるいは一新する場合、チームは「混成」の色がより濃くなるのが一般的です。

混成チームのマネジメントが難しいのは、容易に想像がつくと思います。同じような経歴や資質を持つ営業担当者の集まりであれば、極端な話、能力のある人間のやり方をまねればある程度の成果が上がります。混成チームの場合はそうはいきません。できる担当者のまねをして成果が上がるとは限りませんし、そもそも同じやり方を取ろうとしてもできない場合が多いのです。

混成チームは、メンバーの経験や資質がバラバラです。ルーチンワークが得意／苦手、対人折衝が得意／苦手、技術的な知識が豊富／少ないなど、強みは一人ひとり違います。統一した営業マニュアルや営業トークの台本を与えて全体を底上げしようとしても、狙った効果は得られません。

ですが混成チームにはメリットがあります。メンバー一人ひとりの良い点を組み合わせれば、全体の成果を上げることができるのです。従って、チーム営業では、混成チームの特性を生かした営業体制をつくる必要があります。これを説明するために個人営業と組織営業の違いを見ていきます。

組織営業では分業制にする

複数の営業担当者から成る営業組織の体制は、大きく個人営業と組織営業に分かれます。両者の違いは次のようになります。

個人営業

営業のやり方は個々の担当者に任せる。存在するのは「目標（予算）」と「結果（実績）」だけ。成果報酬型の営業組織によく見られる形態

組織営業

複数の営業担当者が全体目標の達成に向けて営業活動を行う。「平均値を上げる」手法と、「分業制で全体成果を上げる」手法を組み合わせて進めるのが一般的

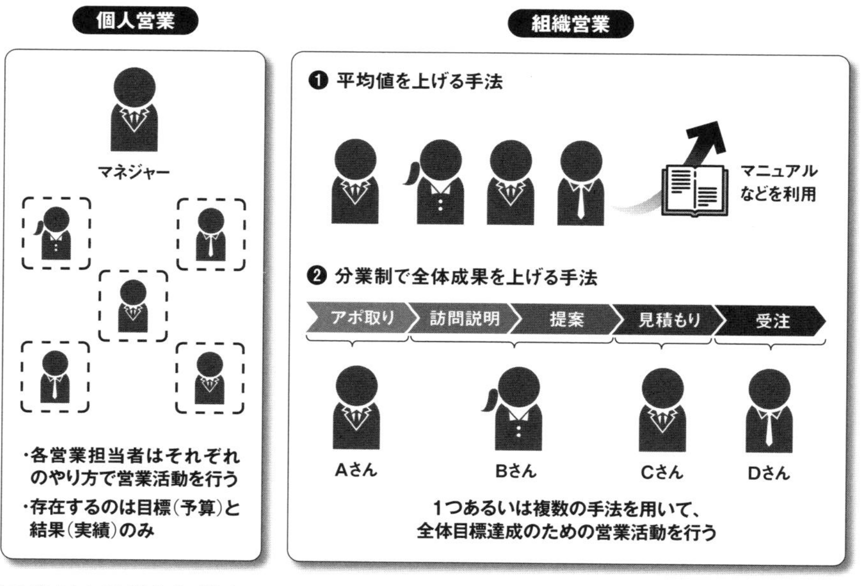

図●個人営業と組織営業の体制
組織営業は複数の手法で進める

混成チームの特性を生かして成果を上げるためには、組織営業で分業制を取るのがポイントです。

営業に関わる作業は多種多様です。幅広い作業をどのように実施するかで成果が変わってきます。必要なスキルや特性はそれぞれの作業によって異なります。

分業制を取れば、混成チームに参加する様々な経歴や資質の営業担当者を適材適所で生かすことで、営業の幅広い作業をカバーできるようになります。これを全体の成果につなげるのがチーム営業の基本的な考え方です。

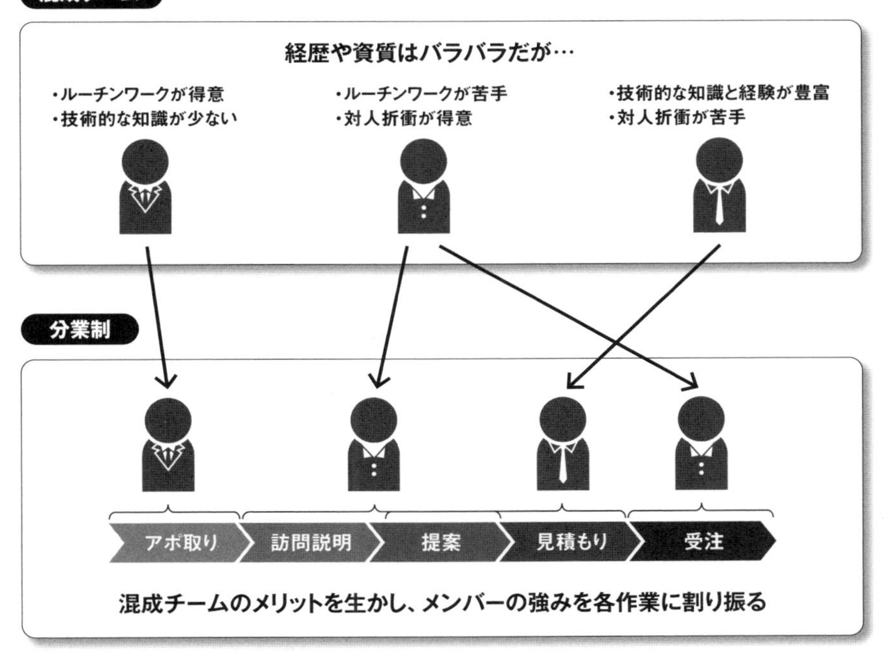

図●混成チームと分業制の関係

営業担当者の経歴や資質を適材適所で生かす

ただ、混成チームで分業制を取る組織営業を運用する際には、いろいろなハードルを乗り越えなければなりません。単純に分業制を採用するのではなく、IT企業の営業の実態に合わせて成果を促す工夫を凝らす必要があります。

ここまでの内容で「わざわざ組織営業や分業制などの仕組みをつくらなくても、実績のある営業経験者を採用すれば済むのではないか」と思う人がいるかもしれません。筆者もそう言われた経験がありますが、事実は異なります。

営業担当者が活躍できなかった理由

筆者が支援していたソフト開発会社の事例を紹介しながら説明しましょう。そのソフト開発会社には、数人の営業担当者がいました。全員SE出身者です。

この体制では、なかなか受注に結びつかないという悩みがありました。そこでIT業界での営業経験者を中途採用することにしました。受注を増やすだけでなく、SE出身の営業担当者にノウハウを伝授することで、全体の受注増につながるのではないか、との期待がありました。

しかし、結果は散々なものでした。中途採用した営業担当者の受注量は期待を下回り、全体の受注増にもつながらなかったのです。なぜだったのでしょうか。

結論からいうと、中途入社した担当者が持つ営業の経験やスキルがソフト開発会社の営業スタイルに合っていなかったのです。適材適所ではありませんでした。

中途採用の営業担当者は、以下のような経歴の持ち主でした。

・中堅IT企業の営業の経験あり
・マーケティング部門がリードを獲得し、そのリードに対して営業訪問

をしていた

・マーケティング部門が準備した営業ツール（資料など）を利用していた

担当者本人にヒアリングしたところ、訪問営業の経験はあっても、営業の作業全般に関する知識や経験はないことが分かりました。期待ほどの受注につながらなかったのは、これが理由です。「リードに対して営業折衝して受注する」ことはできても、前工程の「リードそのものを増やす」ことができなかったのです。

既に出来上がった営業体制の中で活動していたので、「どうすれば受注を伸ばせるのか」に関するロジックを組み立てるのも得意とはいえませんでした。もし、この営業経験者がリードそのものを増やすノウハウや、受注を伸ばすロジックを組み立てるノウハウを持っていれば、結果は違っていたでしょう。顧客折衝に絞って担当していれば、一定の成果は上がっていたかもしれません。

何でもできる100点満点の人など、めったにいません。経験やノウハウに片寄りがあるのが当たり前です。組織営業ひいてはチーム営業の取り組みでは、個人では埋めきれない片寄りを乗り越えることができます。

マーケティングと営業とで分業

IT企業の営業の特徴である混成チームの特性を生かすには、組織営業の分業制を取るのがポイントだと書きました。

一口に営業といいますが、多岐にわたる作業があります。

営業担当者の主な作業

1. 商品のパンフレットを作成する
2. 商品紹介の資料を作成する
3. 商品をPRするWebページを作成し公開する
4. 問い合わせのWebページを公開する
5. 展示会に出展する
6. ネットや雑誌に広告を出す
7. Web／電話／メールからの問い合わせに対応する
8. 過去に問い合わせした顧客をフォローする
9. ユーザーを訪問し商品を説明する
10. ユーザー要望と自社商品が適合するかを調査する
11. 提案書を作成する
12. 見積書を作成する
13. 受注する
14. 納品する
15. 入金を確認する

これでもごく一部にすぎません。リードの獲得では「セミナーを企画し開催する」「ブログコンテンツを企画し掲載する」、リードを案件化するためのフォローでは「電話によるフォロー」「メールによるフォロー」といった具合に、アナログ、デジタル双方の様々な作業で営業は構成されます。

分業制では、個別の作業ごとに担当を決めます。例えば、世の中には、営業部門と別にマーケティング部門が存在する会社があります。役割は企業によって異なりますが、おおむね商品をユーザーに販売するという

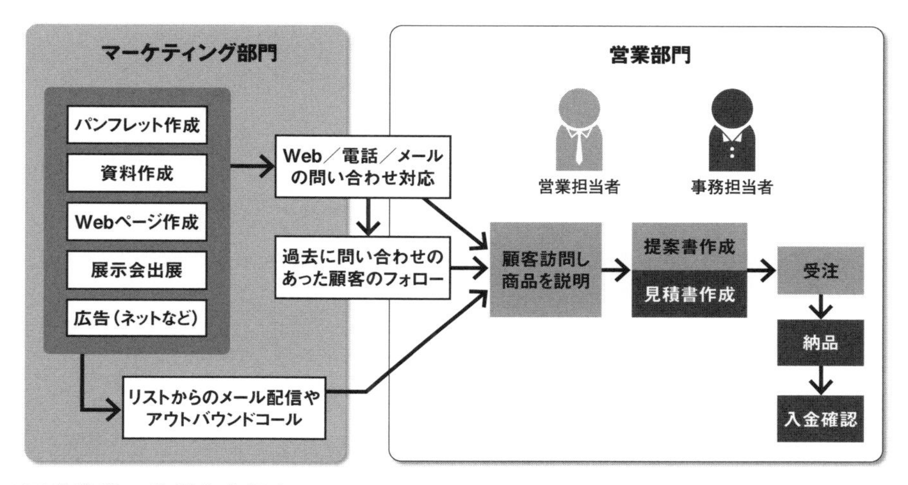

図●営業の作業を分担する
マーケティング部門と営業部門で分けることも

一連の営業行為の中で、ターゲットユーザー層に商品をPRし、リードを獲得するという作業がマーケティング部門の役割です。

具体的には、マーケティング部門のある企業では、1～6をマーケティング部門が、7～13を営業部門が担当するパターンが多いようです。

第3章でも触れましたが、マーケティング部門と営業部門がある場合、マーケティング部門は認知と興味の営業プロセスを、営業部門は商談以降の営業プロセスを担当します。

7～13の中でも、7の問い合わせへの初期対応と、12の見積書作成などの書類手続きは営業事務スタッフが担当するケースがよくあります。より詳細に担当を割り当てれば、専門化が図れ、作業の効率はその分、高まることが期待できます。

注意しなければならないのは、いくら効率を高めても、営業の成果が上がらなければ無意味である、ということです。

営業は、決められた作業をこなせば成果が出るわけではありません。どれだけ効率的に進めても、受注につながらなければ、すなわち成果が出なければ、作業そのものが無駄になります。

もちろん効率は大切です。これまで3日かかっていた提案書が3時間で作成できるようになることには意味があります。ただ営業では、それ以上に「発注してもらえる提案書」を作成できるかどうかが重要になります。効率だけでなく、効果を考えて取り組むことが重要です。

分業制も同じです。効率良く作業ができるかどうかも大切ですが、まず「成果を上げるための営業体制となっているか」が問われます。

営業ストーリーが変われば体制も変わる

営業体制をつくる際には、成果を上げることに加えて、考えるべきポイントがもう1つあります。「体制が進化していけるかどうか」です。

成果を最大限に高めるよう、最適化した営業体制を最初からつくり上げるのは非常に困難です。不可能といってもいいでしょう。

しかも営業ストーリーは都度、修正する必要があります。ターゲットユーザーや提供価値の絞り込みという内部要因での変化もあれば、市場や競合企業などの外部環境、経営や事業方針などの内部環境から起こるダイナミックな変化もあり、そのたびに内容を見直すのです。

今までお話ししたように、営業の体制は営業ストーリーに基づいてつくるものです。営業ストーリーが変化したら、その内容によっては営業体制も変化させなければいけません。

営業体制をより適切な形にしたり、営業ストーリーの変化に合わせたりするには、進化する営業体制が求められるわけです。

営業ストーリーや営業体制を急きょ大幅に変える必要に迫られるという話は珍しくありません。生き残っていくためには避けられないことです。筆者が支援していた、中堅SIerのA社を例に挙げましょう。

新たに業務パッケージソフトを自社開発したA社は当初、間接販売、つまり代理店を通じて販売しようとしました。対象となる代理店は、これまでB社の業務パッケージを扱って実績がある会社です。A社はB社パッケージとの連係機能を自社パッケージに持たせて、「A社製品とB社製品を合わせて販売する」ことを期待しました。

しかし思惑は外れました。B社が業務パッケージのラインアップを拡充し、A社のパッケージと似た機能を持つ製品を提供し始めたのです。代理店は当然、付き合いの長いB社を重視して販売します。

どうすべきか。A社の営業部門は悩みました。

選択肢は2つあります。1つは事業撤退、もう1つは直接販売（直販）への切り替えです。A社の競合パッケージを扱わない代理店に絞って間接販売を継続するという考えもありますが、代理店の数が絞られるので事業規模が小さくなり、黒字化が見込めません。3つ目の選択肢にはならないのです。

A社は直販に切り替える道を選びました。それに伴い、営業ストーリーと営業体制を変化、すなわち進化させ、時間はかかりましたが無事、収益ラインに乗せることができました。

筆者の薦めるチーム営業は、成果を上げるのはもちろん、変化すなわち進化が可能な営業体制の構築・運用の実践を目指すものです。そのためには、「チーム営業の作業分担を設定する」「設定した作業分担を実際に運用する」の2点に取り組む必要があります。

効率と質を上げる 人と作業のひも付け法

最初の作業分担を設定するのは、基本的に営業マネジャーです。企業によってはリーダークラスのスタッフなどがその役割を担うケースもあるかと思います。営業マネジャーの立場でなくても「自分が営業マネジャーを務めている」と想定して読み進めてください。

チーム営業の体制をつくる際には、どのような作業があるのかを把握したうえで、どの作業をどの営業スタッフに割り当てるのかという作業分担を設定します。

作業分担を設定する狙いは2つあります。

まず作業の効率を上げることです。同じ作業を同じ人が担当すると、作業に早く慣れますし、ノウハウもたまっていきます。これが作業効率を高め、時間当たりの「作業の出来高」を増やすことにつながります。

よほどゴールが低くなければ、営業の予算すなわち目標を達成するには、「一定期間あたりの受注（あるいは売り上げ）」を増やすことが必要です。スタッフは簡単に増やせませんから、限られた営業リソースの中で作業効率をいかに高めて、一定期間内の作業の出来高を増やすかがカギを握ります。作業分担を決める際に、スタッフの特性に応じて割り当てると、さらに効率を高めることが期待できます。

もう1つの狙いは、作業の質を高めることです。効率が上がっても成果がない、最終的に受注して売り上げが立たないと意味がありません。作業の質を上げ、成果が上がる営業の体制づくりが必須です。

どう作業を分担すれば、効率と質の両方を高めることができるのでしょうか。

作業分担を設定する手順

筆者は以下の6つの手順を推奨します。

作業分担を設定する手順

1. 営業の作業を洗い出す
2. 営業スタッフのプロファイルを作成する
3. 各作業に最適な営業スタッフをひも付ける
4. 全体を見ながら最適化を図る
5. 営業スタッフと個別に調整する
6. 営業スタッフと合意し担当分けを確定する

こう並べると単純なように思われるかもしれませんが、それぞれの手順には大切な意味があります。順に見ていきましょう。

1. 営業の作業を洗い出す

営業の作業を洗い出すためには、どうすればいいのでしょうか。作業は営業ストーリーに伴って発生します。営業ストーリーを進める際にどのようなことが必要になるのかを洗い出せばいいのです。

ポイントは2つあります。

最初のポイントは、作業に必要なスキルを把握することです。個々の作業を遂行するために、どのようなスキルや特性が必要なのかを把握します。ここでいうスキルや特性とは以下の5つです。

作業に必要なスキルや特性

会話特性：ユーザーと話をするのが苦にならないかどうか。会話のテクニックは後から習得できる

業務スキル：販売する商品が使われる業務に関するスキル

技術スキル：システム構成やシステム連係などについてユーザーに提案・説明するスキル

ルーチンワーク：同じ作業を繰り返すことに耐えられるか。営業では多くの作業が繰り返される

メンタル：営業活動がうまくいかない、ユーザーにダメ出しされる、冷たくされるといった場合も、めげずに気持ちを切り替えて次の作業に移れる強さがあるか

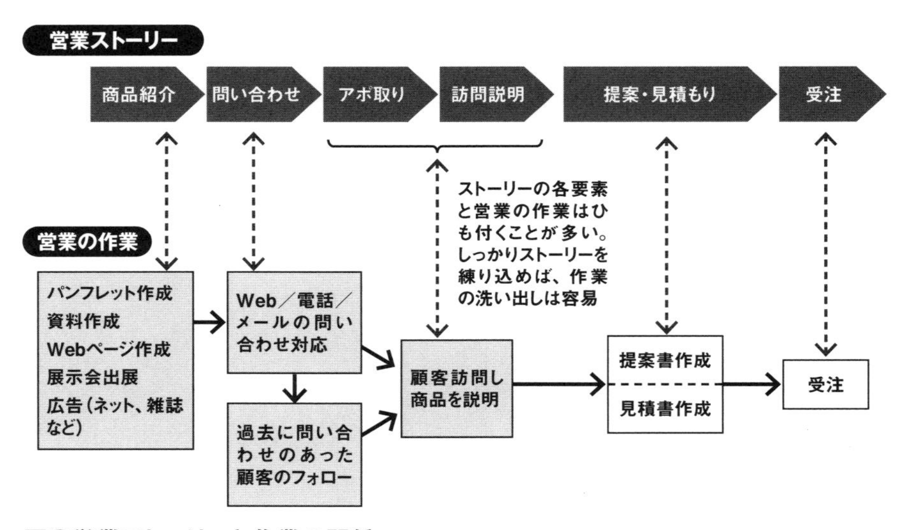

図●営業ストーリーと作業の関係
作業は営業ストーリーに伴い発生する

表●個々の作業に必要なスキルや特性の特徴

必要スキルや特性を事前に把握。◎○△×の順で必要性が高い

	会話特性	業務スキル	技術スキル	ルーチンワーク	メンタル
問い合わせ顧客へ電話でアポ取り	◎	×	×	△	○
過去の問い合わせ顧客へフォローの電話	○	×	×	◎	◎
顧客に対する提案書の作成	×	◎	◎	×	×

作業を洗い出す際に、これらのスキルや特性を整理して把握します。○×だけでなく、コメントを記載すれば後で設定しやすくなります。

チーム営業では、それぞれの営業スタッフの能力をできる限り生かすことで、単なる分業制を超えた効率化が実現します。そのためにはスタッフ一人ひとりに適する作業を割り当てます。作業に必要なスキルを把握しておけば、これが可能になるわけです。

ポイントの2つ目は、個々の作業の目的をスタッフに把握してもらうことです。「この営業ストーリーを進めるうえでこの作業はなぜ必要なのか」を把握し、作業を割り当てたスタッフに必ず伝えるようにします。

営業ストーリーで目的の把握が容易に

作業の目的とは、具体的に何でしょうか。問い合わせ元へのアポ取得の電話をかけるのが作業であれば、第1の目的は「アポ取り」です。次に「ターゲットユーザーの選別」があるでしょう。「検討度合いの確認」もあるかもしれません。提案書の作成という作業なら、主要目的は「ターゲットユーザーへの成果向上の明示」であり、次に「業務面や技術面における価値の明示」となるでしょう。

ここでいう作業は、営業ストーリーを分解したものです。営業ストー

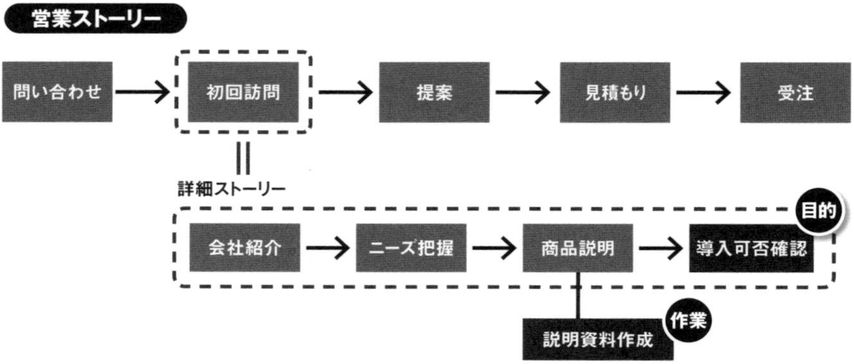

営業ストーリー

問い合わせ → 初回訪問 → 提案 → 見積もり → 受注

詳細ストーリー

会社紹介 → ニーズ把握 → 商品説明 → 導入可否確認（目的）

説明資料作成（作業）

図●「初回訪問」の営業ストーリーをさらに分解
営業ストーリーを作業の目的に落とし込む

リーをしっかりと作成していれば、作業の目的を容易に把握できます。

作業の目的の把握が難しい場合は、営業ストーリーの検討が不足している可能性があります。営業ストーリーを再度見直してみましょう。

営業スタッフが目的を理解したうえで作業するようになると、効率の改善が期待できます。明確な意思を持って作業できるので、成果の向上にもつながります。

チーム営業では営業体制を進化させることが大切だと説明しました。スタッフが作業の目的を把握することで、営業体制も進化します。

営業スタッフに作業を割り当てる

2人の営業スタッフAさんとBさんに対し作業分担を設定する流れを確認しましょう。手順の2～4番目を見ていきます。

2. 営業スタッフのプロファイルを作成する

1で作業を洗い出したら、次にスタッフの適性をつかみます。それぞ

表●営業スタッフのプロファイルを整理
作業の得手不得手を可視化する

	業務経験	会話特性	業務スキル	技術スキル	ルーチンワーク	メンタル	本人の希望
Aさん	総務部で管理業務(部署異動)	普通	人事および給与は業務経験あり、そのほかはなし	開発スキルなし	得意	普通	顧客折衝に挑戦したい
Bさん	開発部門で生産系の開発(部署異動)	対面折衝は苦手	生産系(生産管理など)は開発経験豊富	プログラム開発・運用・サイジングは経験あり。ネットワーク系は経験なし	普通	普通	ほかの業務スキルを習得したい

れのスタッフがどんな経験を持っているか、何が得意か、不得意かを把握しないと、成果の上がる作業分担が困難になります。

プロファイルは一般には「プロフィル」と呼びます。スタッフの長所・短所を洗い出すのが目的なので、区別するためにここではプロファイルとします。スタッフそれぞれのプロファイルを作成し、特徴を把握します。項目は、先ほど説明した作業の洗い出しの際に挙げた「作業に必要なスキルや特性」とほぼ同じです。

- 過去の業務経験
- 会話特性の有無と内容
- 業務スキルの有無と内容
- 技術スキルの有無と内容
- ルーチンワークの耐性
- メンタルの強さ
- 本人の希望

作業に必要なスキルや特性で確認した項目に「本人の希望」が加わっています。理由は後ほど説明します。

3. 各作業に最適な営業スタッフをひも付ける

続いて、手順1で洗い出した作業と、手順2で作成した営業スタッフのプロファイルを基に、手順3の「各作業に最適な営業スタッフをひも付ける」段階に進みます。

例えば、問い合わせ顧客へ電話でアポ取りという営業の作業があります。この作業での会話特性の必要性は「◎」、つまり会話に一定以上のスキルが要求されるという意味です。AさんとBさんのプロファイルを見ると、Aさんの会話特性は「普通」、一方Bさんのそれは「苦手」です。電話でアポを取るのは、Aさんのほうが適している可能性が高いと考えられます。同様にほかの作業も、必要なスキルとプロファイルを見比べていきます。

作業とスタッフをうまくひも付けることができれば、作業分担の設定は終わりに近づきます。ところが実際には、片寄りなくひも付けられるケースはほとんどありません。

片寄りを気にしない

業務ノウハウを持つ営業スタッフがいないので、提案書作成や商品説明に割り当てられない。人との会話が苦手なスタッフばかりで、電話での対応や訪問での営業折衝に割り当てられない——。こうしたことはたびたび起こります。

片寄りがあるのは仕方がありません。とりあえず作業とスタッフのひも付けを進めましょう。

ひも付ける際にもう1点、加味すべき要素があります。前述した本人の希望です。今はその作業のスキルは持っていないが、「その作業に就きたい」と希望していれば、そのスタッフに作業を割り当てることを検討すべきでしょう。

逆に、その作業のスキルを持っているが、「ほかの作業を担当したい」と希望している場合は、違う作業を割り当てるといいでしょう。やりたくない作業よりも、やりたい作業をしてもらうほうが、本人にとっても会社にとってもプラスになります。やりたい作業に割り当てることで、

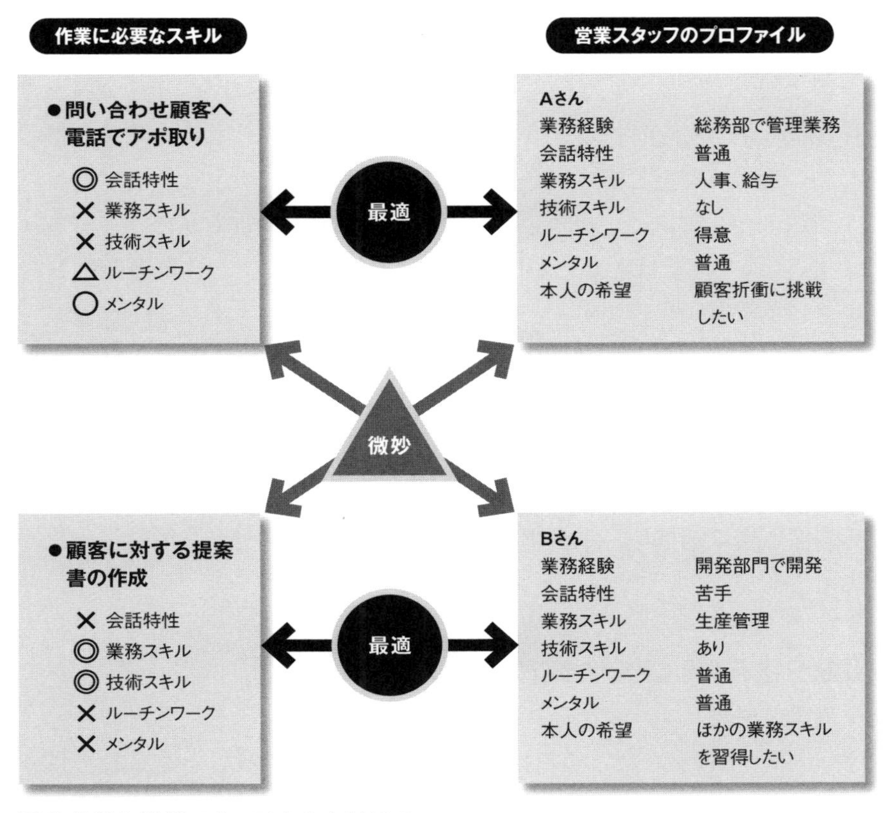

図●作業と営業スタッフをひも付ける
本人の希望も加味する

成果を上げるための目的を意識して作業する可能性が高まります。

4. 全体を見ながら最適化を図る

作業と営業スタッフのひも付けがひと通り終わったら、手順4の「全体を見ながら最適化を図る」を念頭に、発生した片寄りを修正します。

ある作業に多くのスタッフがひも付いているのであれば、プロファイルを確認しつつ優先順位を付けて、順位の低いスタッフは作業から外します。スタッフが誰もひも付いていない作業は、プロファイルを見て「強いて挙げれば、この人だろうか」というスタッフを選びます。

事業規模が大きく、スタッフを十分に確保できるのなら、1つの作業に複数の担当者を付けるよう勧めます。メイン担当はその作業に一番適している人を選定します。

複数人の体制には、相談しながら決めることができるメリットがあります。1人だけでは考え方が片寄ってしまいがちですし、問題が生じたときに解決策が思いつかず、壁にぶち当たる可能性もあります。複数人の体制にすれば議論しながら作業を進められるので、PDCAを回しやすくなります。

事業規模が小さく営業スタッフも少ない場合は、1つの作業に1人の担当者をひも付けざるを得ません。その場合は、関連するほかの作業の担当者と密に連携し、担当する作業に関する議論に加わってもらうようにしましょう。

作業分担を「絵に描いた餅」にしない

作業と営業スタッフのひも付けが完了してもやるべきことは残っています。「営業スタッフと個別に調整する」「営業スタッフと合意し担当分けを確定する」の2つです。チーム営業の作業分担を設定するうえで、どちらも重要なポイントとなります。これがないと作業分担は「絵に描いた餅」に終わり、目指す成果は得られないでしょう。

これまでたびたび、作業の効率と質について触れてきました。チーム営業を進めるうえで効率を上げるのは大切ですが、目的ではありません。成果を上げることが目的です。作業の効率と同時に質を高める必要があります。

作業とスタッフを適切にひも付けられれば、作業効率の向上が期待できます。では作業の質はどうでしょうか。ひも付けができれば単純に質が高まるわけではありません。

ここで作業の目的に注目しましょう。「今やっている作業は何のためか」という目的を把握し、意識しつつ作業を実行する。このように常に行動すれば、作業の質は上がります。作業分担に関する調整と合意は、スタッフに目的を意識したうえで作業をしてもらうために重要なのです。

組織として最適な作業の割り当てを調整

作業の質の向上につなげるのが狙いとはいえ、いきなり「作業の目的を意識してほしい」と指示しても、営業スタッフは戸惑ってしまいます。「突然そんなこと言われても」と思わせないように以下の手順を取るようにしましょう。

5. 営業スタッフと個別に調整する

営業に必要な作業を洗い出してスタッフを割り当てる作業、すなわち「4. 全体を見ながら最適化を図る」までが一通り終わったら、それぞれのスタッフと話し合って調整します。営業マネジャーはスタッフに対して、以下のように話します。

マネジャー：今度、営業体制を立ち上げるうえで、必要な作業を洗い出してみたんだ。この作業は……（一通り説明する）。

Aさんには、作業1と作業2を担当してもらおうと考えている。作業1はきっとAさんの経験やノウハウを生かせると思う。作業2に関しては、経験はないけれど、一度取り組んでみたいと希望していたよね？だから今回、ぜひチャレンジしてもらいたいと考えているんだ。

どちらも営業組織にとって大切なものだ。私としてはぜひ、Aさんに引き受けてほしいと思う。率直な意見を聞かせてほしい。

当然、思い通りにことが運ぶとは限りません。意見の食い違いが生じることもあるでしょう。しかし最終的に、全てのスタッフに対して作業のどれかを割り当てないといけません。

そのためにも打ち合わせる前に、スタッフと作業をひも付けた結果が本当に適切なのか、ほかの組み合わせの方がより適切ではないのかなどを十分検討する必要があります。ひも付けた結果に確信が持てないのであれば、いくつかの選択肢を用意しましょう。

こうした準備のうえで、スタッフと個別に打ち合わせます。全員との打ち合わせが終わったら、それを基にひも付けの結果を見直し、担当する作業の分担が組織全体として最適な形になるよう調整します。

その際に、どうしてもスタッフの希望とは異なる作業を割り当てざるを得ないケースも出てきます。スタッフと話す際には、以下のような内容も伝えるようにしましょう。

マネジャー：今回、打ち合わせた内容に沿って全体の作業分担を決めていくつもりだ。できる限りAさんの希望をくんで調整するが、全体のバランスを考えると、第1希望の作業を割り当てられないかもしれない。そのときも、メイン担当として作業に取り組んでもらえないだろうか。

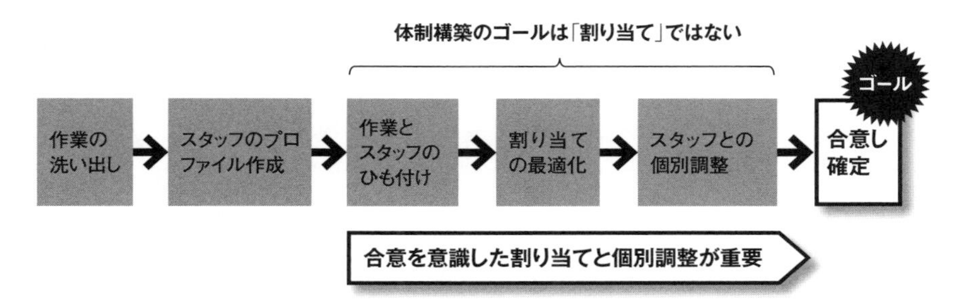

図●営業スタッフの作業分担を決める流れ
作業内容の合意を得ることがゴール

6. 営業スタッフと合意し担当分けを確定する

まだ終わりではありません。調整した作業分担について、各営業スタッフの合意を得ます。合意を得て作業分担を確定すればゴールです。

目的理解でやる気を高める

合意を得ることが大切なのは、それによって各スタッフが「なぜその作業が必要なのか」という目的を理解するからです。やる気（モチベーション）を高め、成果を上げることにつながります。

第1希望の作業を割り当てられなかったスタッフには理由をきちんと説明して、最終的な合意を得ます。最終調整が完了し、スタッフ全員の合意が取れたら、作業分担は確定です。確定した作業の流れと担当分けは全員で共有できるよう、文書にまとめます。

作業分担の事例紹介

チーム営業での作業分担のケーススタディーを紹介しましょう。筆者が支援したソフト会社の事例です。

作業を洗い出し、3人の営業スタッフのプロファイルを作成します。

筆者が営業体制の構築を支援する際に、対象が中小企業であれば経営者に、中堅以上の規模の企業であれば営業部門長か営業マネジャーに、スタッフのプロファイルの作成を依頼します。現場のスタッフを把握しており、業務の割り当てができる権限を持つ人が検討する必要があるからです。

できる限り全体の作業を洗い出してから、個別の作業ごとに必要なスキルと目的を把握していきます。

複数の作業をセットで洗い出したり、1つの作業をより細かく分解したりする場合もあります。「Webページの作成およびメンテナンス」を「ネット広告の掲載およびメンテナンス」とセットで洗い出す、「営業訪問」を「初回訪問」と「継続訪問」あるいは「クロージング訪問」に分ける、といったものです。

このソフト会社では、ヒアリングした結果を基に合意を得たうえで、図のように作業とスタッフとをひも付けました。

表●営業スタッフ3人のプロファイル

営業経験者と開発部門からの異動者のスキルは様々

	業務経験	会話特性	業務スキル	技術スキル	ルーチンワーク	メンタル	本人の希望
Aさん	中堅パッケージベンダーで営業（中途採用）	初対面を含め対人折衝は得意	得意分野なし、全般で意思疎通は可能	開発経験なし、営業での会話レベルは可能	苦手	強い	事業企画や営業マネジメントに取り組みたい
Bさん	開発部門のリーダー（部署移動）	初対面折衝は苦手	複数業務での提案が可能	基盤からアプリまでOK	普通	普通	営業で経験を積んだ後は開発部門に戻りたい
Cさん	開発部門のスタッフ（部署異動）	対人折衝は普通	特になし（プログラマーだった）	プログラム開発のみ、業務提案は難しい	得意	普通	開発に行き詰まりを感じ、希望して営業に異動。営業部門で実績を上げたい

意図を持ってひも付ける

営業マネジャーは、営業スタッフの成長や会社での将来の役割などを考慮したうえで、明確な意図を持ってスタッフのプロファイルと作業をひも付けることが大切です。

表●作業に必要なスキル・目的と担当者

営業スタッフの適性を見てひも付ける

		Webページの作成およびメンテナンス	訪問折衝	折衝顧客へのフォローコール	提案書の作成
スキル	会話特性	×	◎	◎	×
	業務スキル	○	△	×	◎
	技術スキル	○	△	×	○
	ルーチンワーク	○	×	△	△
	メンタル	×	○	○	×
目的	顧客の状況の把握（検討、予算の有無など）	−	○	◎	−
	想定顧客の選別	−	◎	○	−
	想定顧客への成果向上の明示	−	◎	−	◎
	想定顧客への価値の明示（業務面／技術面）	−	○	−	○
	商品の想定顧客へのPR	○	−	−	−
	想定顧客からの引き合い取得	◎	−	−	−
	発注意思の確認	−	◎	−	−
	次のアクションの確認	−	−	◎	−
担当		Cさん（サブ：Bさん）	Aさん（サブ：Cさん）	Cさん（サブ：Aさん）	Bさん
理由		・Cさんは比較的ルーチンワークに耐性が強い ・Bさんをサブとし、技術面や業務面をカバーする ・Bさんをサブとし、ロジカルな表現を促す	・受注を促すためには、営業折衝経験のあるAさんが適任 ・Cさんをサブとし、会話特性を試しながら取り組む	・Cさんは比較的ルーチンワークに耐性が強い ・Aさんをサブとし、ノウハウの洗い出しと共有化を図る	・技術面や業務面でのスキルが最も高い ・ロジカルな考え方を提案書にしてスタッフに共有する

営業のロジックを組み立てる作業はBさんが適していると判断しました。しかしBさんは開発部門への復帰を希望しており、経営者もその前提で考えています。一方、Aさんは対人折衝の経験があり、営業折衝の中心となるにはふさわしい人物です。本人も経営者も、営業部門の責任者としての成長を希望（期待）しています。

そこで、対人折衝などの作業をAさん、提案書作成を中心とした作業をBさんが担当し、全体の営業ストーリーや営業体制の構築はAさんとBさんが共同で検討する体制としました。Aさんが営業折衝ノウハウを生かして外向けの作業をしつつ、Bさんが持つロジカルな考え方や取り組み方を習得できるようにしたわけです。

Aさんは、ロジカルな考え方をBさんから吸収しながら営業のPDCAを回すだけでなく、ゆくゆくは営業部門を統括し、より大きな成果向上に寄与するようになるでしょう。Bさんは開発現場にリーダーとして復帰し、営業現場での経験を生かして、より顧客目線を意識して開発に取り組むことが期待されます。

Cさんは、Web関連とフォローコールをメインで担当しながら、訪問折衝でAさんのサブに入ることになりました。将来は技術の分かる営業担当者として訪問折衝のメイン担当になってもらいます。

短期と中長期対応で変わるスキル

第4章で短期商談と中長期商談の違いを説明しました。短期と中長期それぞれの作業とスタッフのひも付けについて考えてみましょう。短期商談と中長期商談では、必要なスキルや特性が異なります。

短期商談の作業は、ユーザーと折衝して受注につなげることが目的です。個別に折衝する中で、臨機応変に対応するスキルや特性が必要です。

中長期商談は決められた内容を定期的に確認し、必要に応じて短期商談への移行を促す作業が中心です。ユーザーと個別に折衝するケースは

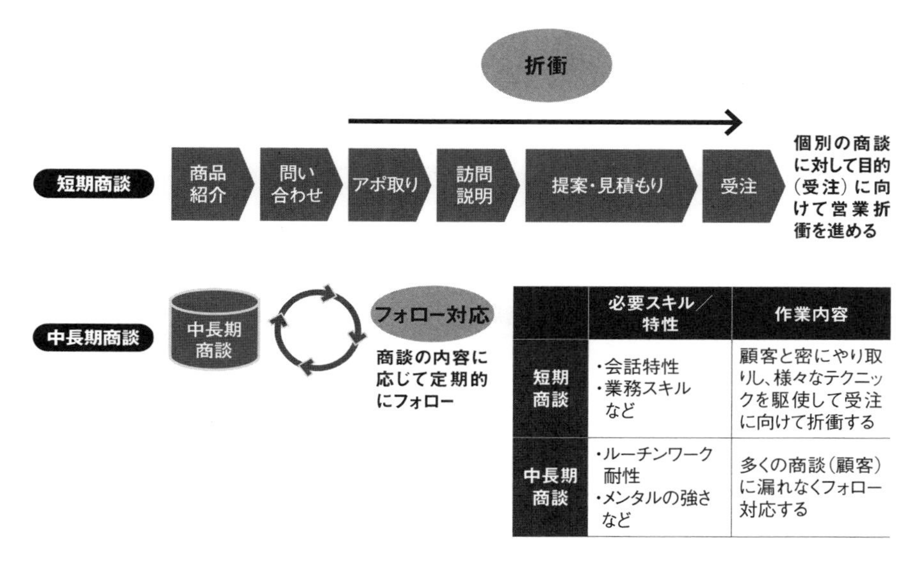

	必要スキル／特性	作業内容
短期商談	・会話特性 ・業務スキル など	顧客と密にやり取りし、様々なテクニックを駆使して受注に向けて折衝する
中長期商談	・ルーチンワーク耐性 ・メンタルの強さ など	多くの商談(顧客)に漏れなくフォロー対応する

図●短期と中長期で異なるスキルや特性
臨機応変かパターン対応か

少なく、同じパターンで繰り返し対応するスキルや特性が求められます。

中長期商談に当たって、メールでのフォローを手動で行うことはあまりありません。通常は商談をカテゴリー分けして、メール配信システムやSFA（営業支援）システム、CRM（顧客関係管理）システムなどで自動化するでしょう。

その場合も担当者を決めて、中長期商談のフォローを一括して実施する必要があります。中長期商談は通常、案件の数が多くなります。担当者は、案件全体で効果を高める手段を考える役割を担います。

短期商談と中長期商談の担当者はそれぞれ連携して作業を進めるのを忘れてはなりません。

常に作業の目的を確認する

営業スタッフの人数が少なかったり、同じスタッフが短期商談と中長期商談の作業をどちらも担当したりするケースがあります。すると以下のような問題が起こり得ます。

短期商談の対応が得意なスタッフは、短期商談の作業を主に担当。定期的なフォローが必要な中長期商談は「面倒だ」と思い、後回しにしがち。すると短期商談の受注率は高くなるが、全体での受注数や受注金額は伸び悩む。逆に、対人折衝が苦手な営業スタッフであれば、中長期商談のフォローは漏れなく実施するが短期商談には踏み込んだアプローチを取れない――。

このように、どうしても営業スタッフの特性に応じて片寄りが生じます。その場合、作業の目的を継続的に確認・把握すれば、成果の向上を促せます。

分業制のデメリット ITでカバー

ここからは、チーム営業の欠点と、CRMシステムや SFAシステムといったITをその克服策としてどう生かすかに触れます。

チーム営業では営業の作業を分解し、各営業スタッフに最適な形で割り当てることで、効率化と効果の向上を促します。筆者が提唱するロジカルセールスの根幹を成すもので、効果も実証済みです。

チーム営業の敵「情報の分断」

ただチーム営業には欠点があります。作業を分けて分担するので「情報の分断」が生じるのです。

前述したように、個人営業では、1人の営業スタッフが案件に関する全ての営業折衝を担当します。これに対し、組織営業では1つの案件を複数のスタッフが分担するのが基本です。チーム営業は組織営業を分業制で実践するのです。

個人営業は営業の進め方が属人的になります。一方で、同じスタッフが最初から最後まで案件に関わるので、その案件やユーザーに関する全ての情報を把握できるという利点があります。

複数のスタッフで進める組織営業では、ユーザーや商談の内容をほかのスタッフに確認しつつ作業する必要があります。「いちいち確認するのは面倒だ。自分が分かる範囲で対応しよう」と考える人が出てくるかもしれません。

しかし、それではチーム営業で効果を上げるどころか、大きく下げることにつながりかねません。

CRMやSFAで情報分断を解消

チーム営業の弱点をカバーするのにはCRMシステムやSFAシステムが有効です。これらを使うと、営業活動で発生する情報をユーザーや案件とひも付けて一元管理できます。情報の分断解消につながるわけです。

CRMシステムはユーザーの情報や状況、やり取りといった、ユーザーを軸とした情報を一元管理します。細やかな顧客対応の実現が狙いです。

一方、SFAシステムは、ルールに従った営業活動（訪問など）を促し、その活動情報を一元管理するために使います。

CRMとSFAは連係して使うとより効果が大きくなります。営業ストー

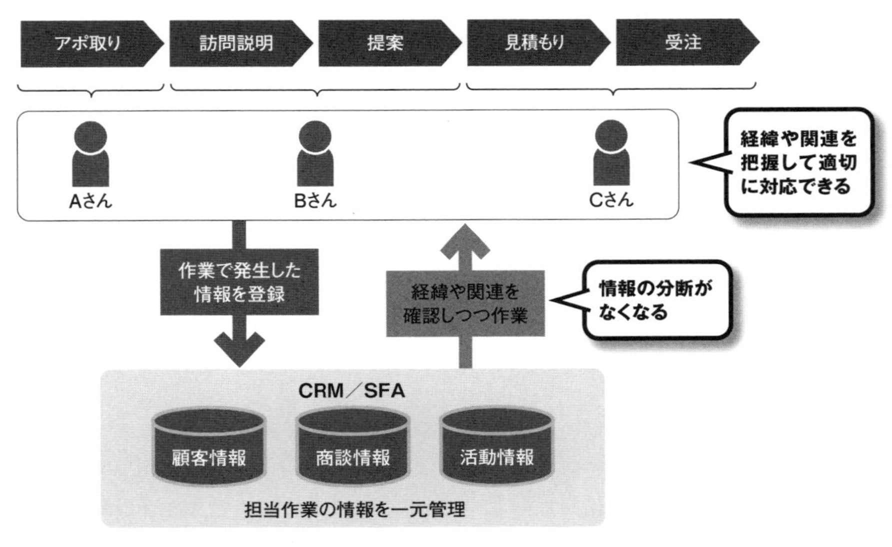

図●CRM／SFAの役割
営業活動の情報を一元管理するメリット

リーの進捗は、ユーザーや商談の情報にひも付いているからです。CRMとSFAを連係させて、それぞれの情報を関連付ける必要があります。

実際には、CRMやSFAはチーム営業に限らず、営業活動全般で効果を発揮します。営業に必須の道具といっても過言ではありません。

システムで可能になる営業活動3つ

「CRMやSFAは本当に有用なのか」「使ったほうがいいのか」といった問い合わせが時折あります。CRMやSFAを利用する意味を説明しましょう。

CRMやSFAは営業活動に大いに役立ちます。筆者がこう言い切れるのは、長年試行錯誤してきた経験があるからです。

筆者がロジカルセールスに取り組み始めたのは、20年ほど前からです。この考え方で営業活動を進める中で、システムが重要な要素だと気づき、CRMやSFAをどう活用すればいいのかを考えてきました。

なぜITの活用が重要なのでしょうか。営業活動のいくつかはITがないと実現できないからです。具体的に、IT活用で可能になる事柄は主に3つです。

- **ユーザーや商談の状況を把握し、その状況に応じてアクションを促す**
- **営業ストーリーの進捗を把握し、その状況に応じてアクションを促す**
- **ユーザーや商談を属性ごとにカテゴリー分けし、営業ストーリーをカテゴリーに応じてコントロールする**

ユーザーや商談、営業ストーリーの進捗などを1人が紙ベースで管理するのはまず不可能です。まして記憶を頼りに管理するのは論外です。

表計算ソフトで進捗を管理

筆者の過去の苦い経験を紹介しましょう。CRMやSFAが営業活動に欠かせないことが実感できると思います。

当時、筆者はCRMやSFAを使わず営業活動を実践していました。いまではCRMやSFAを比較的安価に利用できますが、筆者が新規事業の立ち上げに従事し始めたころは高価で、利用しているのは製薬会社など一部の大企業だけでした。

この状況で、IT企業がCRMやSFAに手を出すのは困難です。しかし筆者は、ロジカルセールスを実践するうえで不可欠だと考えていました。

そこで試行錯誤のうえ、「ユーザーや商談の状況、営業ストーリーの進捗は表計算ソフト（スプレッドシート）で管理する」「表計算ソフトを、簡易言語（マクロ）で開発したシステムや営業スタッフの手作業による管理と組み合わせて運用する」という仕組みをつくりました。

表計算ソフトを使うとデータを蓄積・共有できます。ただ複数のスタッフがデータを登録、運用しようとすると制限が多いうえ、データの状態に応じてほかのデータを自動で変更する、あるいはアクションを促すアラートを出す、といった処理をするのは簡単ではありません。そこで簡易言語を使って、これらを実行するプログラムを開発したのです。

各スタッフによる営業活動の状況は、営業事務スタッフに集約します。事務スタッフは表計算ソフトのデータを一括して管理するとともに、簡易言語プログラムが出したアラートを各スタッフに振り分けてアクションを促す役割を担います。

この形で営業活動を回そうとしたところ、2つの問題が発生しました。1つ目はコストです。

事務スタッフの確保には費用がかかります。特に新規事業を立ち上げる際は大きな問題なのです。通常の新規事業の短期目標は「事業の黒字化」にあります。固定費が増えれば事業利益を圧迫します。

とはいえ、事務スタッフの労務費のほうがCRMやSFAよりもコストは低く、システムを導入するなら現実的にこの選択肢しかありませんでした。

ただし当時、筆者が所属していた企業では、既存事業の営業業務と事務スタッフの兼務が可能で、労務費を全て新規事業で抱えなくても済みました。事業利益への影響を最小限にできたのはラッキーでした。

営業の「PDCA」を回せない

もう1つの問題のほうが深刻でした。PDCAサイクルを回せないことです。

営業活動の中でPDCAを回し、営業ストーリーや営業体制をより良いものにしていく。これはロジカルセールスを実践していくうえで大切なポイントの1つです。

最初から「この営業ストーリーで販売すれば完璧」「ベストな営業体制を構築できたので、もう変える必要はない」となればいいのですが、現実にはあり得ません。PDCAサイクルが必須です。

ところが、表計算ソフトと簡易言語でシステムをつくり込み、人手で運用する形では、一度決めたパターンを変更するのは容易ではありません。営業ストーリーや営業体制のPDCAを回したくても回せないのです。

コストの問題はお金で解決できます。事業が立ち上がり、事業規模が大きくなれば全体収益の中で吸収することも可能です。

しかし、営業のPDCAサイクルが回せない問題は致命的といえます。「この営業ストーリーを変更すべきだ」「営業体制を変えなければ」と感じていても、そのまま営業活動を継続せざるを得ませんでした。

といって放置はできません。開発や営業の業務が落ち着いたタイミングで、いくつかの問題を一気に改善しました。PDCAサイクルを短く回していれば、事業の黒字化をもっと早く達成できたはずだと、残念で

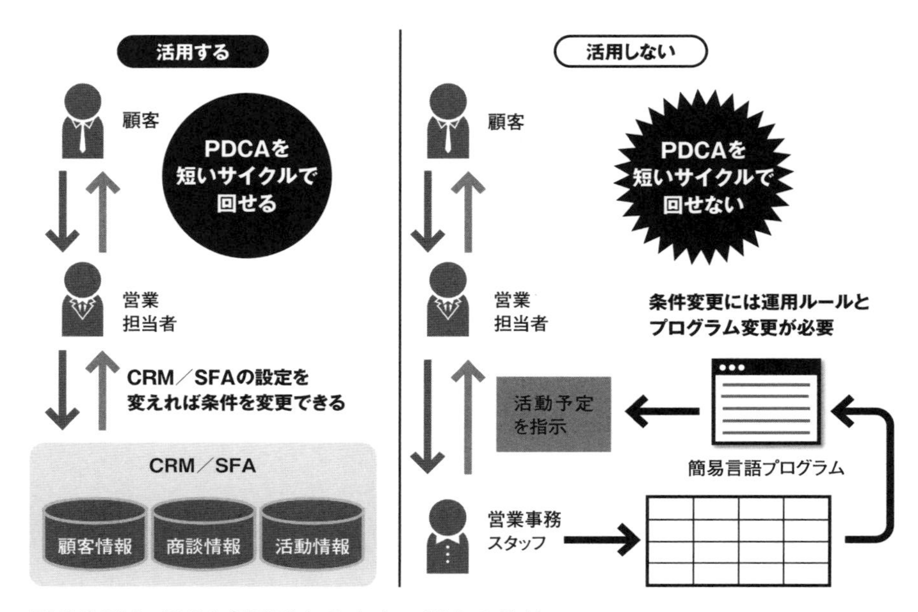

図●CRM／SFAを活用する・しない場合の比較
営業のPDCAが回せないと致命的

なりません。

いまチーム営業を実践するのであれば、CRMやSFAを使わない手はありません。CRMやSFAの多くはパラメーターを容易に変更・設定できるので、営業のPDCAサイクルを細かく回すことが可能です。

初期投資を抑えることができる月額利用可能なクラウドサービスもあります。筆者も現在はクラウドのCRM／SFAを利用しています。

先ほどシステム活用のポイントとして挙げた「ユーザーや商談を属性ごとにカテゴリー分けし、営業ストーリーをカテゴリーに応じてコントロールする」ではCRM／SFAと併せて、マーケティングオートメーション（MA）を利用すると、より大きな効果を期待できます。MAは、営業活動を自動化するうえで今や必須のツールといえるでしょう。

営業体制を進化させる 分業制こそPDCA

成果が上がり、進化が可能な営業体制をつくるには、「チーム営業の作業分担を設定する」「設定した作業分担を実際に運用する」の2つが必要だとお話ししました。

1つ目をおさらいします。営業の作業を洗い出し、営業スタッフのプロファイルを作成した後、各作業に最適なスタッフにひも付けるのが大事でした。また、全体の最適化を図り、スタッフと個別に調整したり、作業内容に合意してもらって担当を確定したりするまでが一連の作業でした。ここで2つ目、設定した作業分担を実際に運用するにはどうするかを説明します。

分業制では作業レベルのPDCAを回しにくい

チーム営業を進めるうえで、どの作業をどの営業スタッフが担当するかの作業分担が決まりました。さっそく営業活動を始めよう――。ちょっと待ってください。まだ問題が残っています。営業のPDCAが回せない可能性があります。

PDCAは、業務を進める際に欠かせません。営業も同じです。最初からベストな営業ストーリーや営業体制をつくるのはほぼ不可能ですし、市場やユーザーなどの外部環境も、自社商品や社内リソースなどの内部環境も常に変化します。

そうした状況で成果を上げるために、PDCAを回すことが大切です。営業活動を通じて内容を評価して営業ストーリーや営業体制を変える、場合によっては営業目標を修正するといった改善策を継続的に講じる必要があるからです。

問題は、分業制を取っているチーム営業では、作業レベルのPDCAを回しにくいことです。

「CRMやSFAのシステムで情報を共有すればいいのでは」と思われるかもしれません。確かにCRMやSFAは有用です。

ただ、これらはあくまでも道具にすぎず、導入すれば自動的にPDCAを回せるわけではないのです。システムを使う前提として、分担した作業を連係させつつ、どう運用していくかを考えなければいけません。

「インターフェース」をどう決めるか

システム開発に例えて説明します。各作業をサブシステムと捉えると、サブシステム同士を連係させ、どれを変更しても問題なくデータやパラメーターを受け渡せるようにするには、事前に共通のインターフェース仕様を決めておくことが欠かせません。

分業制を取って営業活動を進める場合も、インターフェース仕様に例えた作業間のつなぎの部分が大切です。

営業のPDCAを回す際は、営業ストーリーや営業体制だけでなく、個々の作業も対象になります。アポ取り作業のやり方をユーザーの状況や商品・サービスの性質に応じて改善する、といった具合です。個々の作業内容をより効率が良く、より成果が出るよう進化させるといってもいいでしょう。

ところが進化させようにも、簡単にできないことがあります。作業のやり方を変えると、関連するほかの作業のやり方も変えざるを得なくなるような場合です。

例を紹介します。提案書作成の担当者が、提案書のパターンをいくつか作成して効率化を図りました。見積書作成の担当者はその提案書のパターンに合わせて見積書のテンプレートを準備し、少ない工数で素早く見積もりを提示できるような運用をしていました。

あるとき、提案書作成担当者は「顧客ニーズの変化に伴い、提案書のパターンを変更しよう」と考えました。受注確度の向上を促すのが狙いです。

ところが提案書のパターンを変更すると、見積書作成担当者が用意していた見積書のテンプレートに当てはまらなくなり、毎回新たに見積書を作成する必要が生じました。その結果、工数が膨らみ、見積書を作成するまでの時間がかかるようになりました。手作業で見積書を作成するので間違いが発生し、手戻りが生じてさらに工数と時間がかかる場合も出てきました。

提案書作成担当者は、見積書作成担当者に新たなテンプレートを大至

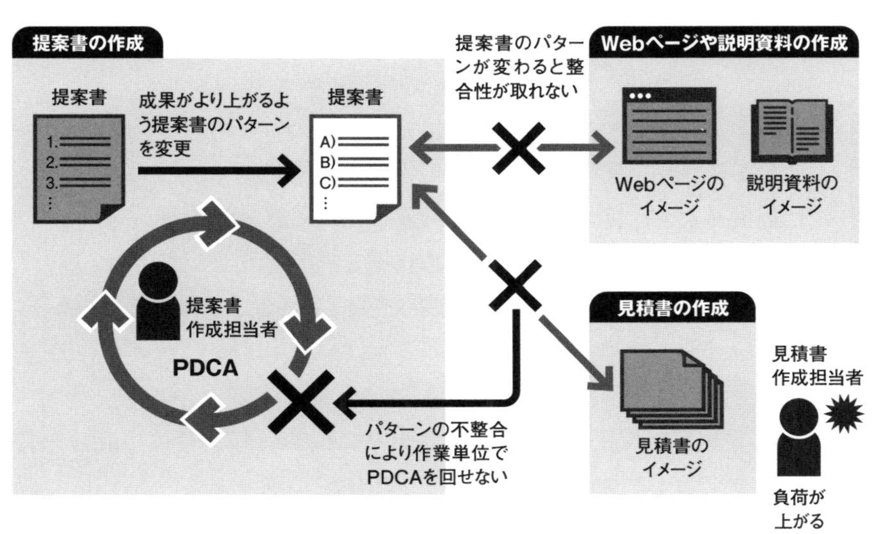

図●提案書テンプレートを変更した影響
効率化のための変更がほかの作業と不整合を起こす

急作成するように依頼しました。しかし、手作業での見積書の作成と並行してテンプレートを準備するよう迫られたので、見積書作成担当者に負荷が集中。両者の関係が悪化し、業務がスムーズに進まなくなってしまいました。

サブシステムであれば、統一のインターフェースを用意すればつなぎの問題は解決できます。営業は人と人とのやり取りになるので、分担した作業を互いに連係させながら運用する方法を決め、チーム内で実践する必要があります。

そうした運用方法がある場合に、それぞれの作業や作業同士のつなぎを円滑にする役割をCRMやSFAは果たすと捉えればいいでしょう。

作業分担の運用、4つのポイント

チーム全体での成果を上げるだけでなく、営業体制の進化を促そうとした場合、作業分担の運営には大きく4つのポイントがあります。

1. 営業スタッフ全員が作業全体の流れを把握する
2. 担当作業を「自分が責任者」の意識で捉え、対応する
3. 担当作業に関連している作業の詳細を把握する
4. 関連する作業の担当者（責任者）と密に会話しつつ作業を進める

ポイント1は文字通り、まずチーム営業に関わる作業全体の流れを営業スタッフ全員が把握することです。理由は2つあります。

最初の理由は、自分が担当する作業が「作業全体の中で必要なものだ」と認識できるからです。重要度に差はあるとしても、営業に関わる作業

に不要なものは1つとしてありません。「自分が担当する作業は、チーム全体の成果を高めるうえで必要不可欠なものだ」。各スタッフがこう認識することが成果の向上につながります。

2つ目の理由は、自分の担当する作業が、ほかの作業とどのように関連しているかを認識できるようになることです。一つひとつの作業は、それだけでは完結しません。ほかの作業と関連しながら実行することで初めて、成果が上がるようになります。これらの理由で、営業マネジャーは、最初に全体の流れを全員に説明することが大切です。

複数の作業が関連している例に、Webサイトのメンテナンスとパンフレット作成があります。

Webサイトは、パンフレットのようなアナログ媒体に比べて比較的短いサイクルで作成や修正ができる点が特徴です。アナログ媒体は基本的に印刷物なので、頻繁に作成や修正ができません。

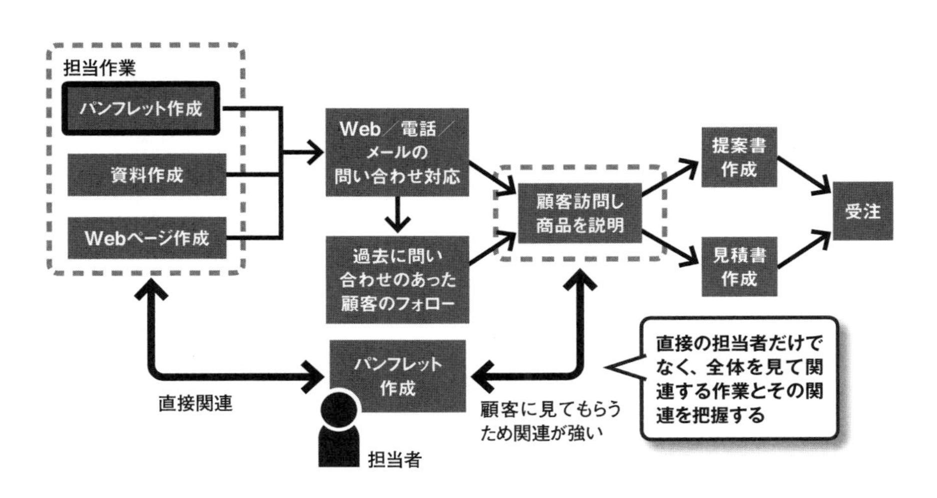

図●営業の作業全体と担当作業（パンフレット作成）との関係
全ての作業は関わり合っている

現状では、まずWebサイトで商品の内容を確認する人がほとんどでしょう。しかし、Webサイトを見ていきなり説明を依頼してくるとは限りません。パンフレットを請求する人も多くいます。

Webサイトだけを修正してパンフレットを修正しないと、記載されている内容に違いが生じて、商品に興味を抱いた人を混乱させ、次の営業折衝段階に進まずに離れてしまう可能性があります。そのため両方を速やかに連動させるのが好ましいのです。

もちろん、Webサイトのタイムリーな修正によるリードの創出をデジタルメディアとしては優先すべきです。その際に、ほかの作業との関連を考慮すべきだという意味です。

ポイント1で、スタッフは作業全体の流れを把握し、自分が担当する作業の重要性を認識しました。仕事に取り組む動機が生まれ、目的を意識した作業が可能になったわけです。

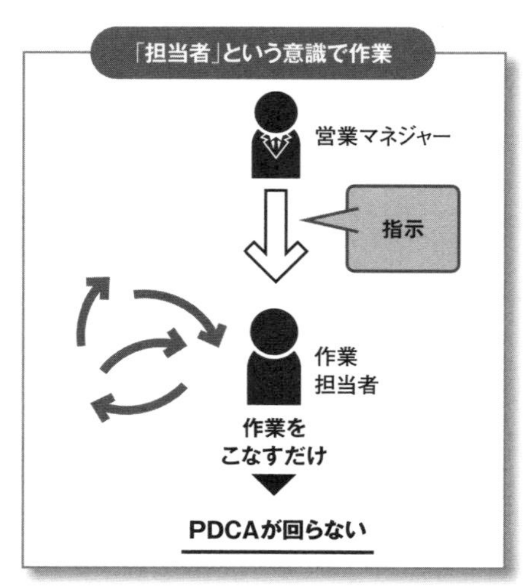

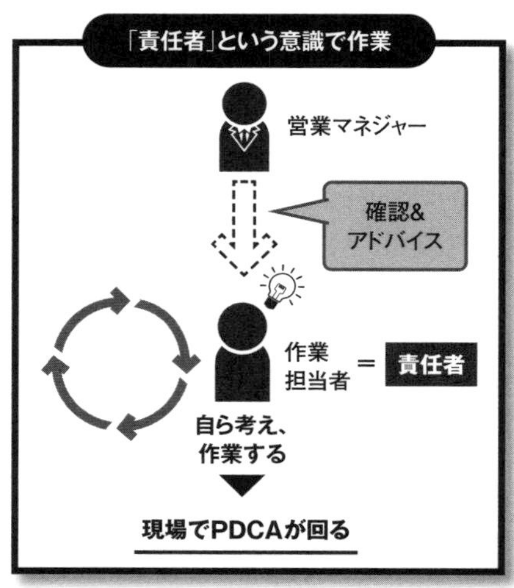

図●「担当者」から「責任者」の意識で変わるPDCA
責任者として能動的に考え、作業する

作業全体の流れの把握は、続く3つのポイントにつながります。

次に「2. 担当作業を『自分が責任者』の意識で捉え、対応する」を実践します。

目的を意識することは大切ですが、それだけでは不十分です。目指す成果を上げるには、スタッフが目的を意識しつつ、それぞれが「自ら能動的に考えて作業する」必要があります。そうすることで営業のPDCAが回るからです。自分ごととして取り組み目指す成果が出るまで、または成果をさらに高めるために、作業の手順や取り組み方を変化させ続けるようになります。取り組み方とは、自分だけでなく、チームの仕事とどう連係できるかなど、より良いやり方を常に模索・提案することを指します。「言われてからやる」という受け身の態度で、PDCAを回すのは困難です。

スタッフが自ら能動的に考えて作業するようになるには、「自分が作業の責任者」という意識が大切です。単に作業をこなすだけでなく、アウトプットすなわち成果を上げるための方法を、スタッフ自身が考えるようになります。

チーム営業で最初から目指す成果が上がることはめったにありません。営業マネジャーは手取り足取り指導したくなるかもしれませんが、全ての作業をスタッフに対して指導するのはまず不可能ですし、すべきでもありません。現場から遠いマネジャーが細かい作業内容を考えても、高い効果は期待できないからです。

現場に近いスタッフが自ら責任者となって考えれば、作業レベルのPDCAが回るようになり、成果の向上につなげられます。スタッフだけで考えられない場合はマネジャーが一緒に考えるか、マネジャーが作業手順のサンプルを示し、スタッフはそのサンプルを基に実際の作業手順や取り組み方を考えるようにします。

「3. 担当作業に関連している作業の詳細を把握する」へ進みます。

営業活動全体の成果を向上させようとすると、複数の作業にまたがるPDCAを回さなければなりません。そのためには自分が担当する作業に、ほかのどのような作業がどう関連しているのかを把握しておく必要があります。これが狙いです。

ポイント3は、作業のつなぎを意識しながらPDCAを実行するうえで欠かせません。互いに作業が関連する場合は、自分の担当分だけでなく、関連する作業を含めて手順や取り組み方を変更しなければならないからです。ポイント1で触れたように、早い段階で全員が作業全体の流れを把握していれば、一人ひとりのスタッフが、自分の担当する作業がほかの作業とどう関連しているのかを確認できます。

作業はどう進めればいいのでしょうか。それが「4. 関連する作業の担当者（責任者）と密に会話しつつ作業を進める」ことです。

自分の担当作業と関連するほかの作業の詳細を把握する際の基本は、ほかの作業の担当者（責任者）に尋ねることです。現実には同様にほかの作業の担当者からも、関連する作業の担当者として詳細を尋ねられるので、互いに説明し合うことになります。

1回だけ詳細に内容を説明し合えばいいわけではありません。担当者同士で、それぞれが担当する作業のPDCAの現状をこまめに説明し合うべきです。定期的にミーティングの機会を設けるといいでしょう。

なぜこまめに担当者同士が顔を合わせたほうがいいのでしょうか。ポイント3で触れたように、作業間のつなぎを意識しつつ、各作業のPDCAがスムーズに回るようになる、というのが理由の1つです。

それぞれの作業は連係しており、ある作業の内容を変更すると、関連する作業に影響を及ぼす可能性があります。自分だけで「担当する作業の成果が向上しそうだ」と考えて、勝手に作業手順などを変えるのは禁物です。

自分の担当する作業内容を変更する前には、その意図や変更内容を関連する作業の担当者に説明し、合意を得る必要があります。こまめに説明し合う機会をつくることで、これがスムーズに進みます。

もう1つの理由は、複数の作業にまたがるPDCAを回しやすくなることです。1つの作業内容を変更して得られる成果に比べ、関連する複数の作業内容を同時に変更することで得られる効果は大きく、営業全体の成果向上には不可欠です。

ただこの作業は簡単ではありません。営業マネジャーだけが頑張っても、複数の作業にまたがるPDCAを回すのは難しいでしょう。

脳の神経細胞がシナプスでつながり合うかのように、各作業の担当者が互いに意思疎通し合うことで、単独の作業の枠を超えた全体の成果向上につながるPDCAが回ります。営業マネジャーの仕事は、複数の作業にまたがるPDCAのための仕組みをつくり、うまく運用できる環境を整えることなのです。

仮想体験、チームでWebページ変更

4つのポイントを理解したところで、作業分担の運用を仮想体験してみましょう。当事者になったつもりで読み進めてください。営業チームの4人は以下のようにそれぞれの作業を担当しています。

Aさん：Webページ作成
Bさん：提案書作成
Cさん：パンフレット作成（他商品のパンフレット作成と兼務）
Dさん：問い合わせ対応

営業全体会議で営業マネジャーはメンバーに対し「今期の売り上げ目標を達成するためには、リード増と受注率の向上、案件単価の向上が必要だ。担当の皆さんは、この目標に向けて取り組んでほしい」と説明した。

Webページ作成を担当するAさんは「Webサイトからの問い合わせをさらに増やす必要があるな。商品紹介ページの内容を大きく変えよう」と考えた。

問い合わせを増やすにはどのように変更すればいいのだろうか。Aさんだけで考えても、良いアイデアは出てこない。

そこでAさんは、提案書作成を担当するBさんに相談することにした。取り扱う商品の価値の中で顧客ニーズが高いのはどれなのか、その価値を生み出すのはどの機能かを知るためだ。

Bさんの話は役に立った。「どのように紹介ページを変えればいいのか、イメージができてきた。さっそく変更に取りかかろう」。こう考えたAさんだが、「待てよ」と一瞬立ち止まる。

「このままWebページを変更すると、商品パンフレットと内容が大きく違ってしまう。まずパンフレットを見たいという顧客もいるのに、それはまずいな。パンフレットも合わせて変更できないだろうか」

こう考えたAさんは、続いてパンフレット作成を担当するCさんに相談する。Cさんの答えは「新たなパンフレットを作成するには、まとまった費用と期間が必要になる。今すぐの対応は難しい」。

「困ったな。何かいい方法はないだろうか」。AさんがCさんに尋ねたところ、Cさんがこんなアイデアを出す。パンフレットそのものを作り直すのではなく、Webページとパンフレットとの差を埋める説明資料を作成して、パンフレットとともに送付してはどうか。そのほうが安上がりだし、かえって目立つと思う——。

「それはいい案だ」。AさんはCさんの提案を受け入れることに決める。すぐに問い合わせ対応を担当するDさんに「パンフレットとともに資料を送付したいが可能か」と打診したところ「工数増にはならないので大丈夫」とDさんは快諾した。

全員で協議、こまめに情報交換

これで決まりだ。Aさんは提案書の最新データをBさんから入手し、そのデータを使ってWebページを修正する。同時に、パンフレットとともに配布する説明資料を作成する。

作成したWebページと配布資料を、念のためBさんに確認してもらうと「内容は大丈夫。問題ない」。Bさんは新たにこう提案する。「提案書の内容は、顧客の反応を見ながら頻繁に変更している。それに合わせて、Webページや説明資料も頻繁に変更したほうがいいのではないか？」

確かにそれはできたほうがいい気がする。だがどうすればいいのだろ

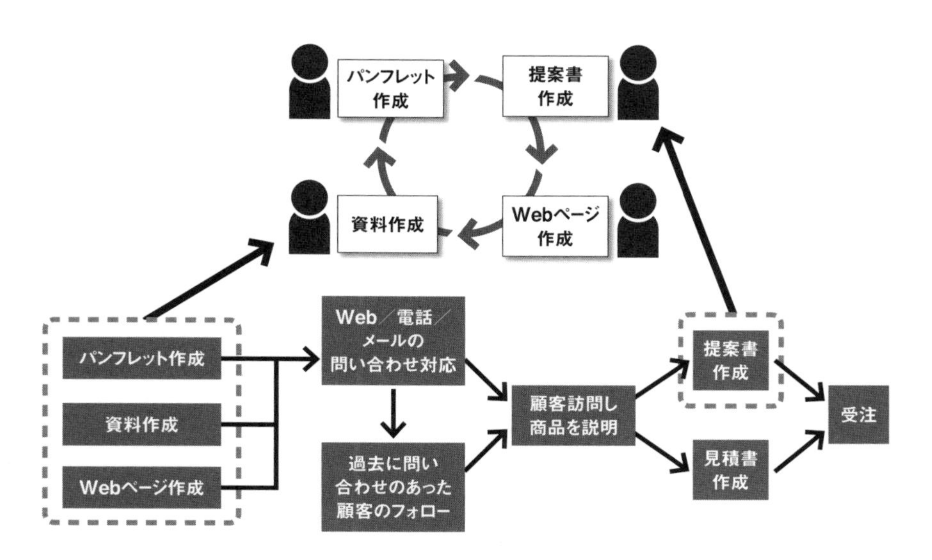

図●関連作業のPDCAをまとめて回す
作業のつなぎを意識して全員で話し合って手順を変更

う？ Aさんは Bさん、Cさん、Dさんを集めて協議する。その結果、週1回、Aさんと Bさんで情報交換を目的に打ち合わせ、提案書に変更が発生したら、その内容を Webページと説明資料に反映することに決めた。

ここまで紹介したのはシンプルな例です。それでもAさんからDさんまで担当する作業がそれぞれ関連しており、やり取りすることで全体の効果が上がる様子がイメージできたのではないでしょうか。

成果向上へ様々なPDCAを回す

チーム営業では、現場で作業レベルのPDCAを回すことを重視します。同様に、部門ごとにPDCAを回します。営業部門では営業マネジャーが営業ストーリー全体をPDCAを回して進化させるのです。事業責任者が事業全体をPDCAで進化させることも重要です。

営業ストーリー全体のPDCAを回した結果、営業ストーリーが変化すると、個々の作業に影響が及びます。せっかく効率が上がり、効果が出始めた作業と営業体制の組み合わせを変えなくてはならない可能性もあります。

事業全体のPDCAを回したことで事業構造が変化すると、ターゲットユーザーや価値の設定などを含む営業ストーリーを変化させざるを得ない場合もあるでしょう。

ユーザーや競合他社などの外部環境はもちろん、自社商品や自社組織、営業スタッフなどの内部環境も絶えず変化します。変化に応じて営業の成果を高め、事業を継続し発展させるためには、各レイヤーでPDCAサイクルを回し続けることが欠かせません。

本章を通して、営業担当者が個別ではなくチームで組織的に動くことで、組織全体の目標達成に向けてより効果的・効率的に活動できると実感できたのではないでしょうか。営業ストーリーと営業体制は、どちらか一方ではなく、両方を組み合わせて実践して初めて高い成果につながるのです。

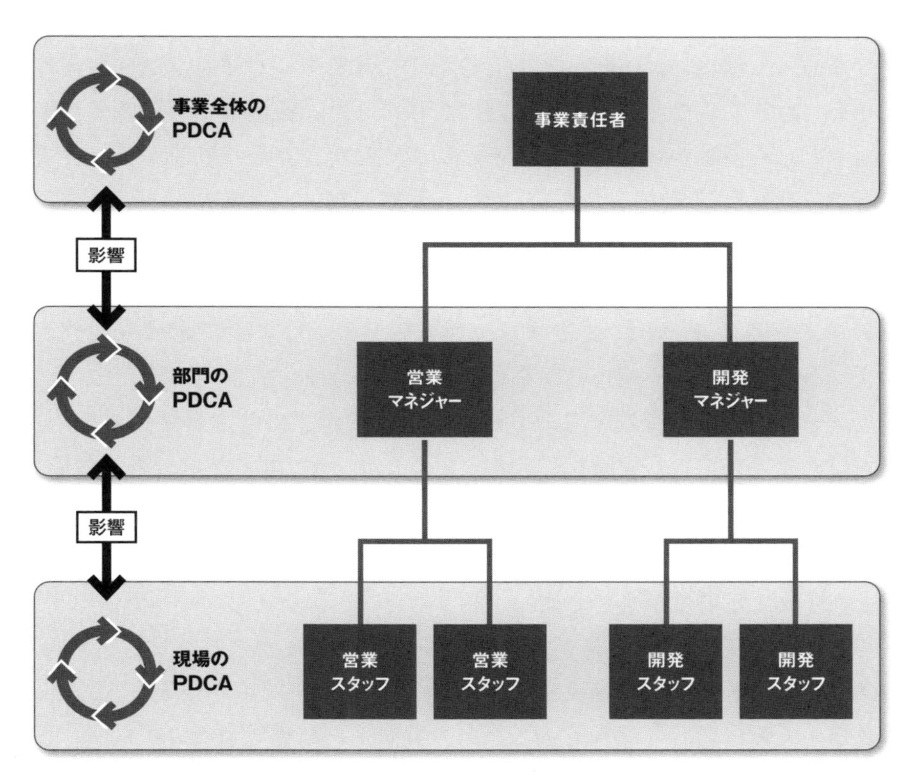

図●組織の各レイヤーでPDCAを回す
PDCAを繰り返すと互いに影響する

リモート営業を支える「ハード環境」をおろそかにしない

リモート環境でユーザーと折衝したり、営業チームと会議や打ち合わせをしたりすることが、当たり前になりました。新型コロナ禍により移動や人との接触が制限されたことが契機でしたが、それ以前から、会議用ツールや接続環境に関する技術はありました。

便利な半面、リモート環境で画面越しに人と話しているとうまく意図が伝わらなかったり、会話が弾まなかったりといった経験を聞くことがあります。リモートによるコミュニケーションは対面に比べるとデメリットが多いという調査結果を見ることもあります。

ユーザーとの活発なやり取りがなければ、意思の疎通が難しくなり、価値や成果を正しく認識してもらえなくなります。本当なら折衝の結果、発注してくれるはずのユーザーでもうまくいかないことがあり得ます。受注できなければ売り上げも上がりません。リモート折衝の成功には、それを支える環境が必要です。

筆者は企業の事業開発を支援するMIXTIA（ミクスティア）というプロジェクトを2019年から運営しています。メンバーの所在地が東京・愛知・大阪・大分と離れているため、立ち上げ時から100%リモートで活動しています。

当初はうまくいかないこともありましたが、試行錯誤した結果、支障なく作業が進むようになり、様々な事業企画を生み出しています。MIXTIAで培った、リモート環境下でスムーズなやり取りができるノウハウを、既存のソフトウエアやツールの機能を十分引き立てるハードウエア環境に絞ってお伝えします。営業の折衝に必ず役立つはずです。

モニター利用は必須

営業に限りませんが、リモートでは画面越しというストレスを感じさせない環境が重要です。Web会議用ツールなどソフトの重要性は意識しているケースが多いのですが、意外と見落とされがちなのが、ハードウエア環境です。使用するソフトの効果を引き出すにはどんなハードを準備すればいいのか、そのハードをどう配置すれば会話が活性化するのか——。ハード環境をおろそかにしてはならないのです。

ハードは絶対に必要だというものから、個人の状況に応じてそろえたほうがいいものまでいろいろです。どう使えば効果的なのかを含めて見ていきましょう。

といっても特殊なものは必要ありません。不可欠といえるのはモニターだけです。

リモート営業ではWeb会議だけでなく、チャットツール、Webブラウザー、場合によってはホワイトボードツールなどのソフトを使う必要があります。多くの人がリモート環境でメインとして使っているだろう、比較的小さなノートPCの画面で表示しても、それぞれのメリットを十分に生かすことはできません。

ノートPCの画面は、基本的に1つのツールを表示させて利用する場合には問題ありませんが、複数のツールとなると画面サイズの小ささによるデメリットが大きくなります。モニターを用意し、利用する複数のツールをその画面に表示させましょう。共有する画面と映像を分けて表示するためにもモニターは大いに使います。

上下に並べるのが基本形

モニターの配置にも気を配りましょう。ノートPCとモニターの配置が、リモートでの折衝の活性化に影響を及ぼします。

基本的な配置としては、目の高さに合わせてノートPCの画面上端を

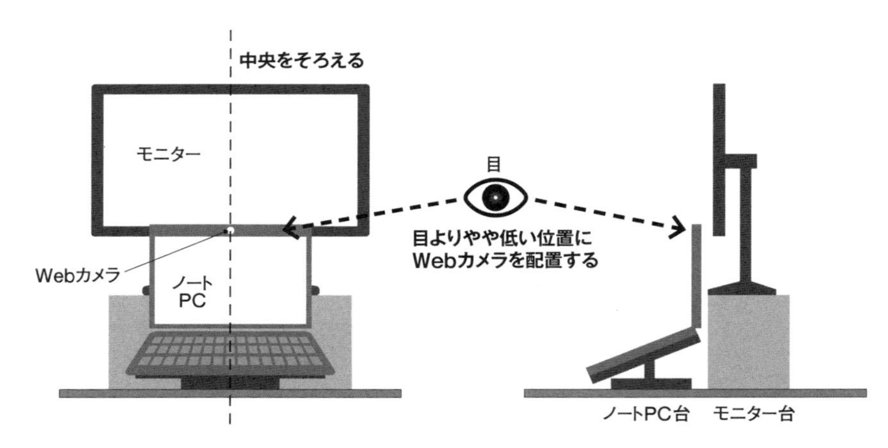

図●モニターとノートPC、配置の基本形
上下に並べ、目線より少し下にWebカメラを配置

設置し、画面のすぐ上にモニターが見えるようにします。ノートPCに付属するWebカメラは大抵、画面上部中央に位置しています。そのWebカメラを少しだけ見下ろす位置に配置するのです。いろいろ試してみたところ、口の高さぐらいにWebカメラがあると、姿勢が良くなって長時間作業しても疲れが少ないように感じています。

Webカメラ、ノートPC画面、モニター画面のセンターが一直線に並ぶように配置します。これが基本形です。

顔の正面をカメラに向ける

ユーザーとの折衝をはじめ社内外の会議に参加中、横を向いている人の映像を見ることはないでしょうか。横の方向に映ったまま発言しており、ほかの人の発言に対してうなずくときも横を向いています。これでは参加しているメンバーとの一体感は生まれません。対面で横を向いて発言したり、話者に対して横を向いて聞いたりする人はまずいないでしょうから、横向きは画面越しならではの現象です。

このような現象が起きる理由は、メインのノートPCとモニターが横並びで設置されているからです。ノートPCの真上にモニターを配置し、Webカメラが顔を真正面に捉えるようにして、横向きを解消してください。

では、モニター上部に単体のWebカメラを配置し、モニターを見るときはそのWebカメラを使い、ノートPCの画面を見るときはノートPCのWebカメラを使えばいいのでしょうか？

もちろんその方法だと最適な角度で映されるのですが、複数のWebカメラの切り替えはNGです。切り替えの手間がかかり、大事な説明やデモンストレーションに集中できなくなります。これでは本末転倒です。ノートPCのWebカメラを使い、ノートPCとモニターを上下に並べる配置をお勧めします。

基本形を構成するハードウエアは４つ

リモートでの営業折衝を快適なものにする基本形は、モニターに加えて、ノートPC台、モニター台・アーム、キーボード、マウスの4つです。個人の好みもあると思いますが、いろいろ試してこのように落ち着きました。

テーブルや机にノートPCを置くと、ノートPCをかなり見下ろす形になります。ノートPCでのキーボード操作を考えると当然なのですが、リモートでの最適配置である「少しだけ見下ろす高さにWebカメラを配置し、その下にノートPCの画面、その上にモニター」には程遠い状態となってしまいます。

そこで、ノートPCに組み込まれているWebカメラを少しだけ見下ろす高さにするために、ノートPC用の台を利用します。高さ調整機能付きのものがほとんどですので、好みの位置にできます。楽に作業できる

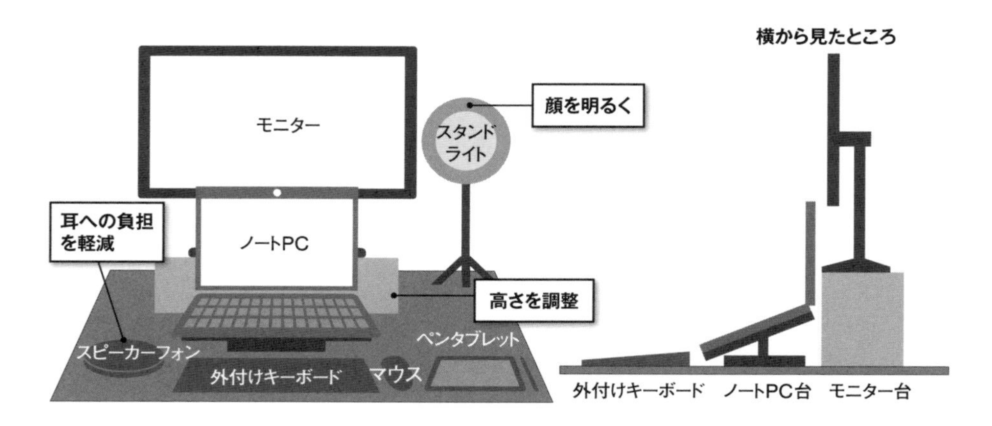

図●必要に応じてスピーカーフォンやライトを準備
リモート商談に理想的なハード配置

姿勢には個人差がありますので、調整しながら最も疲れないポイントを探してください。

その後、モニターをノートPCの上部（Webカメラの上）に来るよう設置します。モニターに付属する台では高さが足りない場合があるので、モニター台を利用するか、モニターアームをテーブルや机に装着して高さを調整します。

ノートPC台にノートPCを乗せると、キーボードに角度がついて手元から離れてしまうので、外付けのキーボードをノートPCに接続して利用します。

ポインティングデバイス（画面上のポインターやカーソルを操作するデバイス）がノートPCに組み込まれている場合は、外付けマウスなどを接続して利用します。筆者はノートPCのタッチパッドに慣れてしまい、マウス操作が逆にストレスになったため、タッチパッドが組み込まれた外付けキーボードを利用しています。

ストレス軽減などに役立つデバイス

最後に、使用するソフトや作業環境などによっては、利用する価値のあるハードを紹介します。

・ペンタブレット

ユーザーとの質疑応答など、対面での折衝ならホワイトボードに書きながらやり取りすれば簡単に解決することでも、リモートではそうはいきません。Web会議ツールのホワイトボード機能やホワイトボードツールを利用してもいいのですが、マウスとキーボードではツールの操作に意識が集中し、肝心な説明やデモに集中できなくなりがちです。そこで用意するのがペンタブレットです。ペンタブレットを利用することで、ホワイトボードツールの操作にかかる負荷が軽減され、説明やデモに集中しやすくなります。

・スピーカーフォン

多くの人がマイク付きのステレオイヤホン（カナル型やインナー型と呼ばれる耳の穴に装着するタイプ）で会話しているのではないでしょうか。リモートで仕事をしていると、朝から夕方までWeb会議続きで耳が痛い、疲れたなどという経験を聞くこともあります。

イヤホンの長時間利用は耳への負荷が高く、肉体的・精神的にストレスがかかります。「音声を聞く、声を伝える」という部分で、対面折衝とできる限り同じ環境に近づけて、ストレスを軽減したいものです。

そこで、スピーカーフォンの出番です。音声が自然な形で聞こえるうえ、耳への負荷もありません。マイクの感度が良く、ノイズキャンセリングやハウリング防止機能が付くモデルもあります。1万円を超えるものもありますが、折衝の成功という目的を考えれば、投資する価値は十分あります。

音を外に漏らしたくない、あるいは無指向性のマイクの利用を避けたい場合は、イヤホンではなくヘッドホンタイプのヘッドセットで、指向性マイクを使っているものをお薦めします。

・スタンドライト

表情が相手に分かることは大切です。顔が暗く、表情が見えない状態は避けましょう。

顔が暗くなる原因は主に2つ考えられます。部屋全体、あるいは自分のいる場所が暗いとき、もう1つは逆光で顔が暗くなるときです。

部屋のライトをつけて部屋全体を明るくすればほとんどの場合は解決します。しかし背後に窓があるなどして逆光になると、ライトをつけても改善しません。

そこでスタンドライトを使います。顔に向けて照らせば、逆光でも顔が明るく表示されます。ただし、ライトがまぶしすぎたり、位置や照らす方向によって目に直接光が入ったりするとストレスになるので、スタンドライトの位置や方向を調整します。調光機能やまぶしさを低減する機能の付いたスタンドライトを選択するといいでしょう。

■おわりに

最後までお読みいただき、ありがとうございました。

IT企業の営業担当者は、ユーザーの意識が変わる中で自らも変化を求められています。機能に重きを置いた商品やサービスの価値を伝えるこれまでのやり方はもう通用しません。ユーザーの成果を向上させるための提案、営業ストーリーによる攻めの営業、ひいては事業化のきっかけづくりまで、営業担当者に求められるのです。

といっても特別なことをする必要はありません。本書で紹介した営業メソッドである「ロジカルセールス」を理解してロジカル営業を実践すればいいのです。ロジカルセールスの全ての内容でなくとも「確かにそうだな」と納得できた部分だけを取り入れてもらえれば、効果が実感できると思います。

「本に書いてある通りに営業ストーリーをつくってみよう」と思っていただければ望外の喜びです。取り組んだうえで、改めて自らにとって最善の営業が何かを検討してください。

本書は、初めて営業職に就かれる方や開発技術者から営業職に転向された方など営業未経験の方にとって、最適な教科書になるのではないかと考えています。書かれた内容通りに営業ストーリーをつくって、営業テクニックを組み合わせ、営業活動に臨んでみてください。そのうえで、「この部分はこう変えてみよう」と自分なりに工夫して、最終的にオリジナルの営業スタイルをつくるといいでしょう。

重要なのは「仮説を立てて実行し、検証のうえで仮説を修正する」というPDCAサイクルを営業活動で回すことです。経験や資質は必要ありません。ロジカルな考え方と必要な情報に基づき、適切なプランを立てるのです。

すぐに成果が出ないからといって落ち込むことはありません。PDCAサイクルを回していれば、必ず結果はついてきます。あきらめずに続けてください。

本書がIT企業の営業担当の皆さんにとって営業活動の一助になり、ひいてはIT業界全体の発展につながれば幸いです。

2023年7月
吉田 守

吉田 守（よしだ・まもる）

SEからシステム営業を経てSI事業やパッケージ事業を立ち上げ、全ての事業で黒字化を達成する。その経験からシステム営業や事業開発のノウハウをメソッド化した。営業および事業開発に困っているIT企業のコンサルティングを幅広く手掛ける一方、企業の事業開発を支援するため新規事業創出プロジェクト「MIXTIA」を2019年に立ち上げ運営を行っている。現在は東証プライム市場の大手ソフトウエア企業でパートナービジネスの推進に従事。営業と事業開発コンサルティング歴は約20年に及ぶ。

経験不要の「ロジカル営業」
必ず成果が上がる最強の仕組み

2023年7月24日　第1版第1刷発行

著　　者　吉田 守
発 行 者　森重 和春
発　　行　株式会社日経BP
発　　売　株式会社日経BPマーケティング
　　　　　〒105-8303
　　　　　東京都港区虎ノ門4-3-12
編　　集　中川 真希子
装　　幀　松川 直也（日経BPコンサルティング）
制　　作　日経BPコンサルティング
印刷・製本　図書印刷

ISBN978-4-296-20276-8